L'Armoire à Confitures

-

Jam in the Cupboard

par - by

Laurent Dutheil

et - and

Jane & Glyn Phillips

Ce livre est dédié à la mémoire de
Madame Françoise Kazamias
qui vécut, travailla, et fit les confitures à l'hôtel Diderot
pendant 20 ans.

This book is dedicated to the memory of
Madame Françoise Kazamias
who lived, worked and made jam at the Hotel Diderot for
20 years.

Hôtel Diderot

Pour chaque livre vendu, 1.50 € sera versé à part égale à deux actions humanitaires qui travaillent en Afrique.

L'une, d'aide sociale et médicale au Tchad creuse des puits afin de fournir l'eau potable.

L'autre une aide éducative en Tanzanie (S.E.E.D) fournit le financement pour que des élèves puissent entreprendre leurs études secondaires.

www.jaminthecupboard.com/seed

For each book sold, 1.50€ will be divided equally between two small charities working in Africa.

One, a social and medical charity in Chad, digs wells to provide accessible clean water. The other, an educational charity in Tanzania (S.E.E.D), funds secondary education for individual pupils.

www.jaminthecupboard.com/seed

©2005 Dutheil & Phillips
Hôtel Diderot, 7 rue Diderot,
37500 Chinon, France
Tel: +33 (0) 247 93 18 87
email: hoteldiderot@hoteldiderot.com
www.hoteldiderot.com
www.jaminthecupboard.com
ISBN 2-9524804-0-0

REMERCIEMENTS · ACKNOWLEDGEMENTS

Nous remercions :

Martine Dutheil, Françoise Dutheil, Rachel Begneu, Sonia Becerra, Mme Honet et **Nathalie Debris,** toutes les petites mains qui assistent Laurent pour la préparation des 3000 kilos de fruits et fleurs par an pour faire les confitures.

Brian Cooke – pour l'idée originale.

Moricette Lainel et **Théo Kazamias** – qui ont tout fait pour nous permettre d'entrer de plan-pied dans le sujet.

Sophie et **Christine Kazamias** – pour leur soutien.

Françoise Dutheil et **Réjane Aucher** – qui ont participé à la traduction.

Ann Hayman, Maisie Bailey, Mary Cooke et **Rosa Phillips** – pour leurs compétences culinaire et horticole.

Denise Nicholson – pour ses photos de Tchad.

Maryse et **Roger Fonfrède** pour les jolies nappes et torchons et **Corinne** et **Yves Rasquin** pour les ravissants couverts et la vaisselle qui figurent sur les photographies.

Mme Laurence Bruere et **le Marché Rabelais,** marchands de fruits et **M. Dalac,** unique fournisseur en sucre qui ont fourni le matériel nécessaire pour les confitures.

Jean Marie Alexis, boulanger, qui pétrit et façonne tous les jours le pain et les viennoiseries qui vous sont servis au petit déjeuner à l'hôtel.

Et Laurent veut remercier surtout sa **mère** pour ses bons conseils, ainsi que ses soeurs, **Martine** et **Françoise**, et ses cousines, **Ninette, Emilie** et **Anne Claire**

sans oublier les 10 000 clients qui nous font confiance tous les ans.

We thank:

Martine Dutheil, Françoise Dutheil, Rachel Begneu, Sonia Becerra, Mme Honet and **Nathalie Debris**, Laurent's jam making assistants – who prepare the 3000 kilos of fruits and flowers needed each year for the hotel jam.

Brian Cooke – for having the original idea for this book.

Moricette Lainel and **Théo Kazamias** – who shared their thoughts with us in interviews.

Sophie and **Christine Kazamias** – for supporting this project.

Françoise Dutheil and **Réjane Aucher** – those valiant people who helped with the translation.

Ann Hayman, Maisie Bailey, Mary Cooke and **Rosa Phillips** – for their culinary and horticultural knowledge.

Denise Nicholson – for her pictures of Chad.

Maryse and Roger Fonfrède for providing the tablecloths and napkins and **Corinne** and **Yves Rasquin** for the tableware which featured in the photographs.

Mme Laurence Bruere and **le Marché Rabelais**, fruiterers, **M. Dalac**, sugar seller and **Jean Marie Alexis**, baker – who provide the raw materials for the jams and breakfast at the hotel.

And Laurent wants especially to thank his **mother** for her good advice, and his sisters, **Martine and Françoise**, and his cousins **Ninette, Emilie and Anne Claire**

and all the delightful people whom they have the pleasure of serving at the hotel Diderot.

Imaginez :

Le soleil du matin tombe doucement sur vos épaules. Ses chauds rayons vous détendent et vous revigorent. Vous êtes assis tranquillement les yeux fermés, respirant l'air frais et légèrement parfumé. Des sons ténus parviennent jusqu'à votre conscience - le bourdonnement des insectes attirés par des fleurs délicatement parfumées, l'agitation au loin des gens qui préparent leur journée, le bruissement des feuilles dans la brise - quelles sont ces feuilles ? Elles sont si **bruyantes** !

Vos yeux s'ouvrent et que voyez-vous ? Le bananier dont les feuilles claquent au vent, un lézard qui capte les premiers rayons chaleur du soleil, des fleurs en abondance dont les taches de couleur attirent l'oeil, les ipomées d'un bleu parfait qui se tordent dans leur ascension de l'escalier en colimaçon pour aller retrouver leur couleur dans le ciel azuré. Est-ce un colibri ? Non, c'est un grand bombyle bourdonnant, l'un des meilleurs acteurs de la nature, virevoltant entre chaque gorgée de nectar.

Cela pourrait-il être le septième ciel ?

Non, pas encore - parce que le petit-déjeuner n'est pas arrivé !

Le tintement des tasses approche précédé d'une bouffée de cet arôme d'un café noir bien fort.

L'odeur est-elle meilleure que le goût ? Peut-être - si l'attente est meilleure que l'accomplissement !

Café, jus de fruit, pain, croissant, brioche, beurre et confiture, confiture, confiture, confiture, confiture. Aujourd'hui c'est la rhubarbe et le citron, la framboise et la cerise, l'abricot et le géranium, la pêche et l'angélique, la fraise et la vanille.

C'est trop !

Que faire ?

Eh bien, essayez-les toutes - tout le monde le fait !

6

Picture this:

The morning sun falls gently on your back. Its warming
rays both relax and invigorate. You sit quietly with eyes closed,
breathing in the fresh and slightly scented air. Small sounds seep
into your consciousness – the buzz of insects drawn by sweetly scented
blossoms, the distant chinkle and hum of people preparing for the day, the
rustle of leaves in the breeze – what are those leaves? They're so **noisy**!
Eyes open and what do you see?

The banana tree with the noisy leaves, a lizard basking in the first
warmth of the sun, flowers aplenty whose bright splashes of colour
demand attention, the perfect blue of morning glory flowers twisting
their way up the spiral staircase to meet their match in the azure
sky.

A hummingbird? No a bee-fly, one of nature's finest actors, flitting
between nectar sips. Could this be Heaven?

No, not yet – because breakfast hasn't arrived!

The chink, chink of crockery approaching – preceded by a waft of that
wide-awake aroma of strong black coffee.

Is the smell better than the taste?

Perhaps – if anticipation is better than fulfilment!

Coffee, juice, bread, croissant, brioche, butter and jam, jam, jam, jam,
jam. Today it is rhubarb and lemon, raspberry and cherry, apricot
and geranium, peach and angelica, strawberry and vanilla. Too much
choice!

What do I do?

Why, try them all – that's what everyone else does!

7

Un jour, une journaliste allant de Londres au sud de la France, fit un détour par la vallée de la Loire. Et pourquoi ce changement d'itinéraire ? Elle avait entendu parler d'un hôtel qui fait d'excellentes confitures. Elle y est allée, elle a vu et elle a dit que la simple vue de ses rangées de pots étincelants nichés dans le placard valait le voyage. Quant au goût, il dépassait de très loin la vue, déjà splendide, de sorte que le kilométrage supplémentaire était encore plus justifié.

Heureusement, nous n'avons pas besoin d'aller si loin. Nous n'avons même pas besoin de faire le voyage car voici l'histoire de ces confitures et des gens qui les ont faites. Et vous ferez partie de cette histoire, si vous le voulez. Elle commence à Chinon aux petits déjeuners de l'hôtel Diderot. Vous pouvez la terminer dans votre cuisine entourés de pots de délicieuses confitures maison. Pomme et lavande, banane et raisin, abricot et cassis, clémentine, framboise et fruits rouges, la liste est variée. Vous n'avez que l'embarras du choix et qui plus est ….. cela n'est pas difficile du tout.

À une époque où nous prenons de plus en plus soin de notre santé, nous pensons que la confiture est un produit défendu. Nous oublions que la confiture est un aliment traditionnel et sain qui est fait d'ingrédients naturels et est pratiquement sans cholestérol. Certes, elle contient du sucre, mais les confitures maison sont moins sucrées que leur équivalent commercial et sont beaucoup plus riches en saveur, si bien que vous pouvez n'en mettre que modérément et vous aurez quand même beaucoup de goût. La confiture prise avec modération peut faire partie d'un régime sain. C'est la vérité. Mais peut-être n'en est-il pas toujours ainsi.

Un personnage central de cette histoire affirme catégoriquement ne pas aimer la confiture, et ne pas en manger. Mais après un interrogatoire poussé, il

Pourquoi les Confitures?

a admis que parfois il prend un pot, et oubliant le pain, enfonce la cuillère dans le pot, la porte a ses lèvres et recommence jusqu'à ce que le pot soit complètement vide. Maintenant, je suis sûre que vous et moi serions plus réservés…. Le serions-nous ? À l'hôtel où cette confiture est faite, il y a 27 chambres et dix grands pots de confitures sont vidés chaque jour pendant la haute saison. Un simple calcul mathématique suggère que ces confitures avaient un goût de revenez-y. Alors attention ! Une confiture vraie, naturelle, pure, une confiture dont vous pouvez vraiment goûter le fruit, une confiture qui vous rappelle les jours simples de votre enfance – une confiture qui contient les parfums de l'été – vous ne pourriez plus vous en passer. Vous pourriez ne jamais retourner aux produits des magasins. Vos amis pourraient vous supplier de leur donner vos précieuses réserves. Vous pourriez même être tentés de partager ce

secret coupable et manger, vous aussi, directement dans le pot. Cette confiture est si bonne qu'elle peut vraiment vous entraînez au pire.

Ce livre est un recueil de recettes qui vont des simples compotes de fruits à celles qui présentent une interaction complexe entre les saveurs et les parfums des fruits exotiques et des épices. Mais que le goût soit simple ou complexe, chacune de ces confitures a pour elle d'être saine et sans prétention – une caractéristique qu'elles partagent avec les gens qui les ont créées. Elles ont été adaptées et affinées au cours des années en mariant des savoir-faire de France, de Chypre et d'Afrique. Lors d'une dégustation à l'aveugle de certaines d'entre elles, vous pourriez passer des heures à essayer de deviner des saveurs et leur subtilité est telle que vous ne découvririez pas toujours tous les ingrédients mystérieux.

Mais les ingrédients sont ici le seul mystère. Cette histoire n'est pas un thriller, ni un polar, donc je peux immédiatement en révéler la fin.

Ce n'est pas un secret donc vous pouvez le partager avec vos amis, ou le garder pour vous-même.

Le voici :

Tout le monde peut faire une confiture parfaite. Ce n'est pas difficile, vous devez juste suivre quelques règles simples. Si vous êtes débutant, vous voulez sans doute commence par une recette simple. Mais soyez ambitieux. Pourquoi pas ? Suivez les règles et la recette et vous ne pouvez pas vous tromper. Et si l'envie de créer vous prend, alors essayez. On vous donne des suggestions pour les saveurs qui se complètent, mais avec des fruits, des fleurs, des épices, du vin et de l'alcool à mélanger et assortir, vous pouvez trouver une combinaison unique.

Ou si vous voulez, simplement, lisez et prenez du plaisir.

A journalist once took a detour via the Loire valley on her journey from London to the south of France. And the reason for this circuitous route? She'd heard of a hotel which made exquisite jam. She came, she saw, and she said that just the sight of those serried ranks of gleaming jars nestling in the cupboard had made the trip worthwhile. They looked good but the taste out-performed the look by light-years – so her additional mileage really was worthwhile.

The good news for us is that we don't have to go that extra mile. We don't even have to make the journey at all because this is the story of those jams and the people who created them. And you are part of the story too – if you want to be. This jamfest begins in Chinon with breakfast at the Hotel Diderot. You can bring it to an end in your kitchen surrounded by pots of delectable home-made jam. Pear and star anise, banana and raisin, apricot and blackcurrant (my all-time favourite), raspberry and red fruits – the list is varied, the choice is yours. And what is more ......
it's not difficult!

In these health-conscious times we think of jam as a no-no. We forget that jam is a traditional and wholesome food which is made from natural ingredients and is virtually cholesterol free. OK, so it contains sugar – but home made jam is made with less sugar than commercial varieties and with flavour-rich home-made jam you can spread it thinly and it will still give you bucketloads of taste. Jam, taken in moderation, can be part of a healthy diet. That's the truth. But perhaps it doesn't always work out quite like that!

Why Jam?

One of the people central to this story states categorically he doesn't like jam and doesn't eat jam – but under close questioning he admitted that he occasionally takes a jar and, ignoring the bread, he spoons the jam straight to his lips. And sometimes he doesn't stop until he's finished the whole pot. Now, I'm sure that you and I would be more restrained – or would we? At the hotel where this jam is made they have 27 rooms and 10 big jars of jam are emptied every day in high season. Some simple mathematics suggests that these jams are very moreish. So beware – real, natural, unadulterated jam – jam in which you can really taste the fruit – jam which reminds you of the uncomplicated days of your childhood – jam that captures the scents of summer - this jam can be addictive. You may never return to the shop-bought variety. You may have friends begging you for more of your precious

conserve. You may even be tempted to share that guilty secret and eat it straight from the jar. This jam is so seriously good that it can make you seriously bad!

Within this book are recipes which range from simple fruit compotes to those which exhibit a complex interaction between the flavours and perfumes of exotic fruits and spices. But whether the taste is complex or simple, each of these jams has an unpretentious wholesomeness – a characteristic they share with the people who created them. They have been adapted and refined over the years by incorporating influences from France, Cyprus and Africa. A blind taste of some of these could have you guessing for hours and the subtlety of the flavours would mean that you still wouldn't identify all the mystery ingredients.

But ingredients are the only mystery here. This story isn't a thriller or a whodunit so I can at once reveal the ending. It's not a secret so you might want to share it with your friends - or you just might want to keep it to yourself!

This is it:

Anyone can make perfect jam. It's not difficult - you just have to follow a few simple rules.

If you're a novice, you might want to start with an easy recipe – but you could be ambitious. Why not? If the creative urge grabs you, then experiment! There are suggestions for flavours which complement each other – but, with fruit, flowers, spices, wines and spirits to mix and match you can find a unique combination.

Or, if you want to, just read and enjoy!

Règles et Outils

Important

Il est toujours tentant de sauter « les passages ennuyeux » et de passer directement à l'action. S'il vous plaît, ne succombez pas à cette tentation. Même si vous êtes un expert dans la fabrication des confitures parcourez quand même cette partie avant de continuer. L'apparence et le goût de ces confitures sont différents de la plupart des autres et ces différences sont étudiées ici plutôt que dans la partie recette.

Comme vous allez consacrer du temps à faire ces confitures – et ce temps est précieux – vous devez être sûr de ne pas avoir perdu votre temps. Il y a quelques conseils dans cette partie pour vous aider. Toutes les recettes demandent un certain temps, mais on a pris soin à ce qu'il soit bien employé afin que ni le temps ni les efforts ne soient vains.

Quatre règles d'or

- Utiliser des ingrédients de bonne qualité
- Ne pas trop cuire
- Ne pas utiliser des ustensiles en aluminium ou en argent.
- Et la règle d'or de Laurent - Se fier à son flair.

Quelques bases

Confitures, marmelades et gelées – quelle est la différence ?

Confiture est un terme général pour le produit obtenu par la cuisson des fruits avec le sucre pour les conserver. La confiture contient des fruits soit entiers soit en morceaux.

Le mot anglais « marmalade » désigne seulement les confitures faites avec des agrumes. Cette définition est conforme a une directive de la Communauté Européenne (C.E.) de 1981. Le mot français « marmelade » désigne les confitures dont les fruits sont en purée (le fruit n'est plus identifiable).

Les gelées ne contiennent normalement pas de morceaux de fruits. Elles sont faites avec les fruits qui ont beaucoup de pectine. Il faut cuire ces fruits dans l'eau, passer le jus à travers une toile, et cuire ce jus avec du sucre.

Pectine

C'est la présence de pectine dans le fruit qui permet à la confiture de prendre. Certains fruits contiennent naturellement beaucoup de pectine (ex. le cassis, les citrons) d'autres en ont très peu (ex. les cerises et les fraises). Pour décider quels sont les fruits qui peuvent être mis ensemble dans les confitures, la complémentarité du goût, de l'acidité et la quantité de pectine doit être envisagée.

Quelquefois on ajoute du jus de citron pour augmenter la pectine. Si vous suivez les recettes, en utilisant les proportions données pour le sucre et les différents fruits, il doit y avoir assez de pectine pour réussir les confitures.

Règles

La méthode pour les confitures et marmelades de ce livre est la suivant :

- Préparer les fruits
- Faire macérer (mélanger les fruits et le sucre et laisser reposer)
- Cuire les fruits avec le sucre juste à point
- Ajouter tout autre ingrédient
- Mettre en pot, fermer hermétiquement
- Ranger.

La méthode pour les gelées est un peu différente

- Préparer les fruits
- Les cuire recouvert d'eau
- Les égoutter pour en extraire le jus.
- Ajouter les autres ingrédients
- Mettre en pot, fermer hermétiquement
- Ranger.

Préparer les fruits

Les fruits doivent être mûrs à point. Des fruits pas assez ou trop mûrs ne vont pas donner le résultat, ou avoir le goût que vous désirez. Il y a deux exceptions à cette règle ; les poires doivent être à peine mûres, car elles sont très fragiles. Pour les ananas, il vaut mieux qu'ils soient bien mûrs, car ils sont alors moins fibreux et plus juteux.

Les agrumes

Lavez les fruits pour enlever les résidus de pesticides et de cire, ou si possible achetez des fruits non-traités. Ôtez le « zeste ». Dans ces recettes 'zeste' veut dire non seulement l'extérieur coloré du fruit, mais aussi une partie de la peau blanche. C'est le zeste qui donne l'amertume au goût doux – amère des marmelades d'agrumes. Le zeste peut alors être utilisé pour faire une variante douce de peau confite qui est ajouté à la marmelade ou la confiture vers la fin de la cuisson.

Confit (marqué comme [1] dans les recettes)

Hacher le zeste ou le couper en lanières. Le mettre dans une casserole épaisse et recouvrir complètement de sucre. Ajouter environ 10cl d'eau. Mettre la casserole sans couvercle sur un feu très très doux pendant 12 à 24 heures. Remuer de temps en temps et ajouter un petit peu d'eau si nécessaire. C'est cuit quand le liquide est évaporé et le zeste translucide. Ça marche bien avec des plaques électriques. Pour le gaz, vous allez devoir vous servir d'un diffuseur métallique – autrement ça va brûler. Une plaque chauffante est un bon diffuseur et a l'avantage de pouvoir servir pour faire toutes sortes de petits pains au lait, de gâteaux sur lesquels vous étalerez votre confiture.

Ou bien, vous pouvez confire vos zestes plus rapidement (minimum de cuisson deux heures) avec une température plus élevée. Il faut surtout s'assurer que ça ne brûle pas, aussi vous devez ajouter de petites quantités d'eau à intervalles réguliers. C'est cuit quand l'eau s'est évaporée et le zeste est devenu translucide.

Les pommes, poires etc

Pour la confiture, pelez et enlevez le trognon. Ôtez toutes les taches et meurtrissures, coupez ou hachez. Pour les gelées, n'enlevez ni la peau ni le trognon.

Les fruits à noyaux

Lavez et séchez. Coupez par moitié, enlevez et jetez les noyaux. Otez les taches et les meurtrissures. Deux conseils pour gagner du temps – les cerises demandent beaucoup de préparation et contiennent peu de pectine, il est bon de les employer en petite quantité mélangées avec d'autres fruits. Aussi, certains utilisent l'amande du noyau, mais dans ce livre, ils sont bannis car ils sont toxique en grande quantité.

Les fruits rouges

Lavez seulement si nécessaire et dans ce cas les sécher avant utilisation. Équeutez et ôtez les taches et meurtrissures.

Macérer (marqué comme [2] dans les recettes)

Utilisez du sucre cristallisé. Les proportions recommandées entre les fruits et le sucre sont de 750 à 800 g de sucre pour un kilo de fruits – cela dépend du quantité de sucre contenu dans le fruit. Le minimum recommandé est de 700 g par kilo de fruits. Le sucre est ajouté aux fruits et on laisse reposer pendant quelques heures dans un endroit frais avant de le cuire. Un récipient en plastique ou en céramique est idéal mais il ne faut pas utiliser l'aluminium. La bonne température est de 12-16° C. Le frigo est trop froid et ralentit les réactions entre les ingrédients. Quelques temps de macération :

- Minimum – les framboises (fruits fragiles) 8 heures
- Les fraises 10 heures
- Maximum - les ananas (fruit fibreux) 36 heures

Les fruits fermes peuvent être remués, mais pas les fruits fragiles.

Cette préparation retire l'humidité du fruit. Ça permet une cuisson plus rapide qui préserve mieux le goût des fruits et économise l'énergie.

Cuire juste à point

Ceci, plus la qualité des ingrédients est la clé pour faire de bonnes confitures. C'est très facile de trop les cuire. Beaucoup d'Anglais et de gens du sud de la France peuvent penser que les confitures décrites dans ce livre ne sont pas prises. De leur point de vue, elles ne le sont pas ! Elles sont assez cuites pour passer de « ne pourront être gardées », à « se conserveront au moins un an ». Elles ne sont pas cuites au point d'être fermes. Ainsi vous préservez le maximum de goût et de qualités nutritatives.

Si vous n'êtes pas très sûr c'est mieux de moins cuire. Vous pouvez toujours reverser la confiture dans la bassine et la recuire. Si elles sont un peu trop cuites – ne désespérez pas – il suffit

d'ajoutez rapidement un peu de jus de fruits frais qui va stopper la cuisson et sauver la confiture.

Bien qu'il soit préférable de cuire chaque tournée sans arrêter, vous pouvez si nécessaire arrêter à mi-cuisson. Quand vous reprenez la confiture va cuire rapidement, comme si elle avait continué de cuire pendant que le feu était arrêté.

Écumer (marqué comme [3] dans les recettes)

Les confitures cuisent sans couvercle. Parfois de l'écume apparaît à la surface pendant la cuisson. Les figues en produisent beaucoup, mais pas les bananes. Si l'écume ne disparaît pas rapidement, il faut écumer avec l'écumoire. Ecumer garantit que le produit final sera propre et limpide.

Déterminez le moment où les confitures prennent

Bien sûr, Laurent, l'expert en confiture, dit « Vous le voyez – les bulles changent. » Pour le plupart d'entre nous, ce n'est pas suffisant ! Il y a quelques tests qui permettent de dire si votre confiture est cuite et prête à mettre en pots.

1. Quand vous remuez la confiture et soulevez la cuillère de bois, la dernière goutte reste sur la cuillère.

2. Quand vous placez une goutte de confiture sur une assiette sortant du congélateur, une petite peau se forme et la confiture ne coule pas quand vous inclinez l'assiette. Si votre confiture n'est pas prise et que vous devez répéter ce test, assurez vous que l'assiette est bien sèche – étant froide une condensation se forme et elle fera couler votre confiture, même si elle est cuite.

Dès que la confiture est cuite, retirez la du feu et mettez la en pot aussi vite que possible. La confiture va continuer de cuire dans la bassine jusqu'à ce qu'elle refroidisse dans les pots.

Quelle quantité ? Pour plusieurs raisons il est préférable de faire de petites tournées. La mise en pot est plus rapide et la qualité de la confiture est constante. Et bien que ce soit de merveilleuses confitures, il n'y a qu'une certaine quantité de pots que vous voudrez manger avant d'en essayer d'autres. Et puis, si il vous arrive une catastrophe, elle se sera que minime.

Ajout d'autres ingrédients

La liste des autres ingrédients pourrait être sans fin. Tant de parfums et de saveurs peuvent compléter (mais sans dominer) le goût de fruit ! La liste ci-dessous n'est pas exhaustive – et une partie provient des recherches de Laurent dans les rayons de nourriture pour bébé des supermarchés ! Avec un peu d'imagination, vous pouvez largement l'augmenter. Ce n'est qu'un point de départ.

Graines, pousses et feuilles :

Les feuilles du pélargonium (voir page 62) : odorant, cueillies avant les premières gelées, séchées et écrasées entre les doigts. Les garder dans un pot bien fermé. En ajouter une pincée 5 min avant la fin de la cuisson.

Lavande ; Un brin de lavande enveloppé dans linge fin ou « nouet » peut être ajouté à la fin de la cuisson – pas plus de 5 minutes sinon il donne un goût âpre tannique.

Les pétales très parfumés ; pétales de roses (voir page 62), fleurs de jasmin, fleurs de sureau, fleurs de tilleul ou n'importe quelle fleur odorante (et non toxique).

Eau de rose, eau de fleurs d'oranger sont beaucoup utilisées dans les plats du sud de l'Europe et l'Afrique du Nord. Elles mêlent les différentes odeurs et saveurs de l'Orient. (voir page 62)

Les tiges d'angélique ; Laurent utilise des tiges fraîches finement coupées. Vous pouvez essayer de l'angélique confite si vous n'en trouvez pas de fraîche.

Poudre de réglisse; elle provient de la racine de la plante de réglisse. Elle doit être ajoutée dans les 5 dernières minutes de cuisson. (voir page 62)

Anis et anis étoilé ; bien que ce soient deux plantes complètement différentes, elles ont le même composant chimique. L'anis est une plante méditerranéenne de la famille des carottes. L'anis étoilé fait partie de la famille des Magnolias et pousse essentiellement en Chine. Les deux donnent un goût anisé.

Les gousses de vanille : Il y a une grande différence de qualité et le fraîcheur des gousses que vous trouverez à la vente. Il vaut mieux aller chez un fournisseur spécialisé (voir références page 62).

Épices : cannelle, muscade, gingembre, clous de girofle. Laurent emploie la cannelle en poudre pour les confitures et l'écorce de cannelle pour les gelées. En ajouter une pincée 5 min avant la fin de la cuisson. Les épices doivent être ajoutées dans les dernières minutes de cuisson (une cuillère à soupe pour 6 pots de confiture) sauf pour l'écorce de cannelle qui est placée après cuisson dans les pots, juste

pour la décoration.

Noix, noisettes, amandes : Elles doivent être en petits morceaux et ajoutées dans les 5 dernières minutes de cuisson après avoir été grillées.

L'alcool

Nous connaissons tous la marmelade au whisky, mais les confitures au gin ? Laurent avait un gin de qualité moyenne, et il en mit un peu dans une fournée de confiture de prunes. Il l'appela « confiture anglaise » et c'était exquis - le goût amer du genièvre se marie admirablement avec la douceur des prunes. L'ananas, le kaki et la banane s'accordent avec le rhum. Le whisky et le cognac vont bien avec les agrumes, le calvados avec les pommes et les poires. Mais à propos ces bouteilles de liqueur, à demi vides, achetées pendant les vacances et qui décorent le fond de votre placard depuis des années ? Voilà peut-être une utilisation pour elles. Peu importe ce que vous utilisez, elles doivent être ajoutées après la cuisson - environ 2 cuillères à café par pot.

Les couvrir et retourner (marqué comme [4] dans les recettes)

Versez dans les pots chauds et propres aussi vite que possible. Fermez aussitôt les couvercles afin qu'il se produise un vide en refroidissant. Pour les confitures, renversez immédiatement les pots et laissez-les dans cette position jusqu'à complet refroidissement - puis remettez-les à l'endroit. Pour les gelées (qui prennent mieux) renversez pendant quelques heures, puis remettez à l'endroit, sauf si la recette dit de couvrir quand elles sont froides. Étiquetez les pots quand ils ont refroidi. Les champions de l'ordinateur peuvent s'amuser à créer des étiquettes. Quoique vous fassiez, c'est une bonne idée que de mettre à la fois

le nom et la date sur l'étiquette. Laurent n'utilise pas l'ordinateur. Il dit que les étiquettes écrites à la main sont plus personnelles.

Le rangement

Rangez dans un lieu sombre. Ces confitures vont se garder au moins un an. Si vous ouvrez un pot et qu'il y a une tache de moisissure - ne vous inquiétez pas. C'est probablement parce que le pot n'était pas aussi propre qu'il aurait dû l'être.

Enlevez le moisi et si vous voulez, rechauffez la confiture jusqu'à ébullition et remettez-la dans un pot propre. Gardez les pots ouvert au réfrigérateur.

Et maintenant la règle d'or de Laurent - Se fier à son flair !

Il y a tant de variations dans chaque type de fruit. Ainsi, si vos fruits sont doux, mettez moins de sucre, si vous n'avez pas tout à fait assez de fruits d'une sorte, ajoutez un autre type de fruit en complément. Les temps donnés dans ce livre sont seulement un guide. Dès que vous pensez que votre confiture est cuite, mettez-la en pots. Faites vous-même vos propres expériences.

OUTILS

La plupart des gens qui cuisinent possèdent les ustensiles nécessaires à la fabrication des confitures. Dans presque toutes les cuisines, on trouve un grand saladier en céramique ou en plastique pour la macération des fruits et beaucoup ont une grande casserole et une cuillère de bois. La seule règle sacrée pour les ustensiles est que l'argent et l'aluminium sont interdits car ils réagissent avec l'acide contenu dans les fruits.

Bassine

Si vous faites de façon sérieuse et fréquemment des confitures,

investissez dans une bassine à confiture en cuivre. Autrement ce n'est pas nécessaire. Une grande casserole en inox (sans son couvercle) suffira. La différence est dans la forme. La bassine à confiture est élargie pour offrir une grande surface d'évaporation - et le cuivre est le meilleur conducteur de chaleur. Les temps donnés dans les recettes sont pour une bassine en cuivre. Les casseroles en acier mettent plus longtemps pour chauffer, mais aussi pour refroidir - vous devez en tenir compte si vous utilisez de l'acier.

Écumoire

Une écumoire est idéale, mais n'importe quelle grande cuillère fera l'affaire.

Pots et bocaux

Les pots et les couvercles doivent être scrupuleusement nettoyés et chauffés avant usage. Des bocaux à large ouverture sont plus faciles à remplir.

Pichet ou louche

Un pichet est plus rapide pour mettre la confiture en pot, mais une grande louche convient.

Mousseline

Les « nouets » mentionné dans quelques recettes sont de petits sacs en mousseline. Pour les gelées un grand linge en mousseline est utilisé pour passer le jus. Ils peuvent être achetés chez de bons marchands. Toutefois, et dans tous les cas, une paire de collants de forts deniers va tout aussi bien.

Rules and Tools

Important

It is always tempting to skip the 'boring' bits and get straight into the action. Please, don't give in to this temptation! Even if you are an accomplished jam-maker do skim through this section before proceeding. The look and taste of these jams is different from most others and some of the differences are explored here rather than in the recipe section.

As you are investing time in making this jam – and that time is precious – you will need to be assured that you have the best return on this investment. There are some tips in this section to help you. All the recipes take an amount of time but care has been taken to ensure that this is all well spent and that neither time nor effort is wasted.

Four Golden Rules

- Use good quality ingredients
- Don't overcook
- Don't use silver or aluminium utensils
- And Laurent's golden rule – Trust your senses!

Some basics

Jams, marmalades and jellies – what's the difference?

Jam is an overarching term which describes the product of cooking fruits with sugar in order to preserve them. Jams contain fruit, either whole or in pieces.

The English word marmalade includes only those conserves made with citrus fruit. This definition conforms to an EC directive of 1981. The French word 'marmelade' means those jams in which the fruit resembles a puree, (ie. the fruit is no longer identifiable).

Jellies do not normally contain pieces of fruit. They are made only from high pectin fruit by cooking the fruits in water, passing the juice through a cloth to clarify and cooking the juice with sugar.

Pectin

It is the presence of pectin in the fruit which allows the jam to set. Some fruits have a high level of natural pectin (eg blackcurrants and lemons), some have very little (eg cherries and strawberries). In deciding which fruits to put together in jams, the complementary nature of taste, acidity and pectin level needs to be considered. Sometimes lemon juice is added to raise pectin levels. If you follow the recipes, using the suggested proportions of the different fruits and sugar, there should be sufficient pectin to ensure successful jam.

The Rules

The process for jams and marmalades in this book is:

- Prepare the fruit
- Macerate (mix the fruit and sugar and allow to stand)
- Cook the fruit and sugar to 'just set'
- Add any other ingredients
- Pot and seal
- Store.

The process for jellies is slightly different:

- Prepare the fruit
- Boil in water
  - Strain to extract juice
- Cook juice and sugar to 'just set'
- Add any other ingredients
- Pot and seal
- Store.

Prepare the fruit:

The fruit should be just ripe. Under-ripe or over-ripe fruit will not behave and taste as you want it to. There are two exceptions to this rule; pears should be slightly under-ripe as they are too fragile when ripe and pineapple is best very ripe – then it is at its least fibrous and most juicy.

Citrus fruits

Wash the fruit to remove pesticide and waxy residues – or, if possible, buy untreated fruit. Remove the 'zest'. In these recipes 'zest' means not only the coloured exterior of the fruit but also a section of the white pith. It is the zest (skin and pith) which makes for the bitter part of the bitter-sweet taste of citrus marmalades. It can be used to make a soft version of candied peel which is added to the jam or marmalade towards the end of the cooking time.

Confit or candied peel (denoted in recipes as [1])

Chop the zest or cut into strips. Place in a heavy saucepan and cover with a layer of sugar equal to the depth of peel. Add about 10cl of water. Place the pan uncovered on a very low heat for between 12 and 24 hours. Stir occasionally and add a little more water if required. It is cooked when the liquid has evaporated and the zest is translucent. This works well with electric hobs. For gas, you will need to invest in a metal diffuser for the gas ring – otherwise it will burn. A griddle or bakestone works well as a diffuser – and has the advantage that you can use it to make drop scones, girdle scones or Welsh cakes on which to spread your jam!

Alternatively, you can cook the confit more quickly (minimum cooking time two hours) at a higher temperature. It is important to ensure that it does not burn so you may need to add a little water at intervals. The confit is cooked when the liquid has evaporated and the zest is translucent.

Apples, pears etc

For jam, peel and core. Remove any blemishes or bruises. Slice or chop. For jellies do not remove peel or core.

Stone fruits

Wash and dry. Halve the fruit and remove and discard stones. Remove any blemishes or bruises. Two tips for a good return on investment of time:

- Cherries take a great deal of preparation and contain little natural pectin so are best used in small quantities in conjunction with other fruit.

- Some people use the kernels of the fruit stones but this does not add much to the finished product and they may be toxic in large quantities, so in these recipes they are discarded.

Soft fruits

Wash only if necessary. If washed, they should be dried prior to use. Remove stalks and any blemishes or bruises.

Macerate: (denoted in recipes as [2])

Use plain, white granulated sugar. The recommended ratio of sugar to fruit is between 750 to 800 gms of sugar to 1 kilo of fruit – depending on the sugar content (sweetness) of the fruit. The minimum recommended is 700 gms per kilo of fruit. The sugar is added to the fruit and left for some hours in a cool place prior to cooking. A plastic or ceramic container is ideal but aluminium should not be used. The ideal temperature is 12 – 16 degrees C. The fridge is too cold as it slows any reaction between ingredients. Some examples of timings:

- Minimum - raspberries (fragile fruits) 8 hours,
- Strawberries 10 hours
- Maximum – pineapples (fibrous fruits) 36 hours

Firm fruits can be stirred but fragile fruits should not.

This pre-treatment draws the moisture from the fruit. It allows faster cooking which both preserves the flavour of the fruit and saves energy.

Cook to 'just set'

This, together with the quality of the ingredients, is the key to good jam making. It is all too easy to overcook. Many English people and people from the south of France might think the jams described in this book are not set. And in their terms they aren't! They are sufficiently cooked to allow the changeover from 'will not keep' to 'will keep for at least a year'. They are not cooked to the point of setting firmly. Thus maximum fruit flavour and goodness are preserved.

If you are unsure, it is better to undercook. You can always pour the jam back into the pan and cook it further. If you have overcooked just a little – don't despair – if you quickly add some cold fruit juice it will stop the cooking and save the jam.

Although it is preferable to cook each batch without stopping, you can, if necessary, stop the cooking midway. When you resume, the jam will cook quickly as it has continued cooking while the heat was turned off.

Skim (denoted in recipes as [3])

Jam is always cooked without a lid. Sometimes a 'scum' appears on the surface during cooking.

Figs are particularly scummy but bananas are not. If the scum does not disappear quickly, it can easily be skimmed off. Skimming ensures that the final product looks clean and clear.

Determining the setting point

Of course Laurent, the expert jam maker, says, 'You can tell by looking – the bubbles change.' For most of us that is not sufficient explanation!

There are recognised tests for deciding that your jam is cooked and ready for potting.

1. When you stir your jam and lift the wooden spoon, the last drop stays on the spoon.

2. When you place a drop of jam on a plate cold from the freezer, a skin forms and the jam does not run when the plate is titled from the horizontal. If your jam is not set and you have to repeat this test, make sure that the plate remains dry – being cold, it will attract condensation and this will make your jam run even if it is cooked!

Immediately the jam has reached setting point, remove from the heat and pot as quickly as possible. Jam in the hot pan will continue to cook until it cools in the pots.

Batch size: for several reasons it is sensible to produce small batches:

- Potting is quicker so the quality of the jam will be more even.
- Even though it is wonderful jam, there are only so many jars you will want to eat before you experiment with another one.
- If you do have a disaster – it will only be a little one!

Adding other ingredients

The list of 'other ingredients' could be endless. There are so many scents and flavours which can complement (but should not overpower) the taste of the fruit. The list below is not exhaustive – and a part of it comes as a result of Laurent looking through the baby food section of the supermarket! With some creative thinking you can add your ideas to it. This is only a starting point.

Seeds, shoots and leaves:

Scented pelargonium leaves; Cut before the first frosts, dry and crush between your fingers. Keep in a screw-top pot. Add a sprinkle 5 minutes before the end of cooking time. (see page 62)

Lavender: A sprig of lavender in a muslin cloth can be added at the end of cooking time. This should be for a maximum of 5 minutes otherwise it imparts a harsh tannin taste.

Highly scented petals: Rose petals (see page 62), jasmine flowers, elder flowers, blossom from the lime tree or any other scented (and non-poisonous) flowers.

Rose water, Orange flower water: These are used extensively in Southern European and North African dishes. They cross the divide between the senses, giving a hint of both the scent and taste of the Orient. (see page 62)

Angelica stalks: Laurent uses fresh stalks finely chopped. You could try candied angelica if you can't find fresh.

Liquorice powder: This is the ground root of the liquorice plant. It should be added in the last 5 minutes of cooking time. (see page 62)

Anise and star anise: Although these are totally different plants, they share the same chemical compound. Anise is a Mediterranean plant related to the carrot. Star anise is a member of the magnolia family and is grown almost exclusively in China. Both produce an aniseed flavour.

Vanilla pods: There is a huge variation in the quality and freshness of the pods on sale. It is best to go to a specialist supplier. (see page 62)

Spices: Cinnamon, nutmeg, ginger. Laurent uses ground cinnamon for jam and cinnamon bark for jellies. Spices should be added in the last 5 minutes of cooking time, (one heaped tablespoon maximum for six pots of jam). Except for the cinnamon bark; that is placed uncooked in the pot with the jelly just for decoration.

Walnuts, hazelnuts, almonds: These should be chopped, grilled and added in the last 5 minutes of cooking time.

Alcohol

We've all heard of whisky marmalade – but what of gin jam? Laurent had some inferior gin so added a little to a batch of plum jam. He called this 'English jam' and it was superb – the bitter juniper taste married beautifully with the sweetness of the plums. Pineapple, persimmon and banana go well with rum. Whisky and brandy both work with citrus fruits; Calvados with pears and apples. But what of those half empty bottles of holiday-purchased liqueurs that have graced the back of your cupboard for years? Here might be a use for them! Whichever you use, they should be added after cooking – about two teaspoons per pot.

Pot and seal - the "Upside down" method (denoted in recipes as [4])

Pour into the clean warmed pots as quickly as possible. Tighten lids immediately so that the jam produces a vacuum as it cools. For jams, turn the pots upside down immediately and leave in this position till cold. Then turn upright. For jellies, which set more firmly, turn upside down for a few hours and then turn upright, unless the recipe says cover when cold. Label jars when they have cooled. Computer whizzes can really have fun designing labels. Whatever else you do, it's a good idea to put both the name

and date on the label. Laurent will not use the computer – he says that hand written labels are 'more personal'.

Store

Store in a dark place. These jams will keep for at least a year. If you open a pot and there is a speck of mould - don't worry. It probably means that the jar wasn't quite as clean as it might have been! Remove the mould and, if you wish, reheat the jam to boiling and return to a clean pot. Keep opened jars in the fridge.

And now for Laurent's golden rule – Trust your senses! There is an infinite variation within each type of fruit so if your fruit is sweet, use less sugar. If you haven't got quite enough of your main fruit, add a complementary one. As the timings in this book are only a guide – as soon as you think your jam is cooked – pot it. And experiment!

THE TOOLS

Most people who cook have all the tools they need to make jam. Nearly every kitchen will have a large ceramic or plastic bowl for the maceration of the fruits and most have a large saucepan and a wooden spoon. The only unbreakable rule about the tools used is that silver and aluminium are forbidden as they react with the acid in the fruit.

Pan

Serious and frequent jam cooks would do well to invest in a proper copper jam pan. For the rest this is a needless extravagance. A large stainless steel saucepan (minus its lid) will suffice. The difference is in the shape – the jam pan is shaped to allow a large surface area for evaporation – and copper is a better conductor of heat. The times given in the recipes are for a copper pan. Steel pans take longer to heat but also longer to cool – so you will need to take this into account if you are using steel.

Skimmer

A large perforated spoon is ideal - but any large spoon will work.

Pots / jars

Pots and lids should be scrupulously clean and warmed before use. Wide necked jars are easier to fill.

Jug or ladle

For speed, a jug is best for potting the jam but a large ladle will do.

Muslin (cheesecloth)

The 'nouets' mentioned in some recipes are small muslin bags. For jellies, a large muslin cloth is used to strain off the juice. These can be bought but, in all cases, a pair of high denier tights works just as well!

Passion et Tradition

La tradition est importante à Chinon. Une recherche sur Internet a donné 14 300 résultats pour *Chinon et Tradition*. Bien sûr, la ville a une longue histoire. Elle a des liens avec les Plantagenêt, Jeanne d'Arc et Rabelais, un château forteresse impressionnant et une vieille ville, avec de nombreux exemples d'architecture médiévale. Elle a aussi une longue tradition de production d'un vin excellent.

Chinon a fermement conservé ses liens avec le passé et en cela, elle n'est pas différente de nous tous. Comme le monde change très vite, il n'est bien normal que nous ressentions le besoin de retrouver les traces d'un temps disparu. Au milieu de la complexité nous recherchons la simplicité ; dans notre course et notre hâte, nous recherchons la paix et la tranquillité et dans nos vies réglées nous cherchons un exutoire pour notre créativité. Nous cherchons un moyen de nous réapproprier et de conserver le meilleur du passé. C'est ce que ce livre cherche à faire de façon modeste.

La tradition de la confection des confitures à l'hôtel Diderot remonte à plus de 40 ans. C'est l'histoire de trois générations, trois familles différentes qui ont agrandi et amélioré à la fois l'hôtel et ses confitures. Le point commun de ces trois familles si différentes les unes des autres est qu'ils sont tous tombés amoureux de cet hôtel. Ils illustrent la meilleure épithète de Chinon, celle qui est inscrite sur ses verres à vin : « Chinon, Passion et Tradition ».

It is fair to say that tradition matters in Chinon. An internet search produced 14,300 results for *Chinon et tradition*! And indeed the town has a long history. There are links with the Plantagenets, Joan of Arc and Rabelais. There is an impressive ruined castle and an old town with many well preserved examples of medieval architecture. It also has a long tradition of making excellent wine.

Chinon has firmly held on to its links with the past as we all try to do. As the world rushes by, it is not by chance that we feel the need to hold on to the precious remnants of a bygone age. In the midst of complexity we look for simplicity; in our rush and hurry we look for peace and tranquillity and in our constrained lives we search for an outlet for our creativity. We look for a means to recapture and retain the best of the past. In its small way that is what this book is about.

The tradition of jam making at the Hotel Diderot stretches back over forty years. It is a story of three generations; three different families, who adapted and extended both the hotel and its signature jams. The theme which runs so strongly through these three groups of people is that they have all fallen in love with this hotel. They personify the very best of Chinon's epithets, and the one which is printed on its wine glasses! It reads: 'Chinon, Passion et tradition'.

PRINTEMPS - SPRING

CONFITURE DE CITRONS - LEMON MARMALADE

Préparation : 3 jours - Cuisson/Cooking : 60-70 min. approx.

- 6 gros citrons à peau fine non traités
- 750 g de sucre

Premier jour

Laver et couper les fruits en demies rondelles minces.
Enlever les pépins.
Mettre les demies rondelles dans un récipient inoxydable.
Couvrir d'eau froide et laisser tremper la nuit.

Deuxième jour

Egoutter les fruits.
Changer l'eau et remettre à tremper une nuit.

Troisième jour

Mettre les tranches de citrons à bouillir dans une nouvelle eau jusqu'à ce qu'elles soient tendres (une aiguille à tricoter doit pénétrer facilement dans l'écorce) - environ 30 minutes
Les retirer du feu et les égoutter.
Préparer un sirop avec le sucre et l'eau. Le laisser bouillir jusqu'au « petit boullé ». Il se forme des petites bulles en surface - environ 10 minutes.
Ajouter les tranches de citron.
Faire cuire le mélange 20 à 30 min maximum à feu doux, en remuant le plus délicatement possible. Ecumer [3].
La confiture est cuite lorsque le sirop atteint « le grand boullé ».
Mettre en pots, les couvrir et les retourner [4].

> Essayer impérativement avec une tranche de brioche toastée ou un gâteau quatre-quarts…

- 6 large untreated lemons with unblemished skins
- 750g sugar

Day 1

Wash the fruit and cut into halves lengthwise then slice.
Remove and discard the pips.
Put the lemon slices in a stainless container. Cover with cold water and leave to soak overnight.

Day 2

Drain the fruit.
Change the water and leave to soak another night.

Day 3

Cover the lemon slices with new water and simmer until tender (a knitting needle should easily pierce the skin) - about 30 minutes.
Remove from the heat and drain, keeping the water.
Prepare a syrup with the sugar and the water. Heat to the point where little bubbles form on the surface - about 10 minutes.
Add the pieces of lemon.
Cook the mixture on a low heat for 20 - 30 minutes maximum stirring as gently as possible. Skim[3].
The marmalade is cooked when the syrup reaches "le grand boulle".
At this stage large round bubbles form on the surface and the syrup dropped on to a cold plate sets almost immediately.
Put into pots. Cover and seal using the "upside down" method[4].

> You should try this with a slice of toasted brioche or a piece of pound cake (a cake using 1lb butter, 1lb sugar and many eggs).

Confiture de Bananes - Banana Jam

Préparation : 10 minutes - Macération : 8h - Cuisson/Cooking : 15 minutes max.

- 1 kg de bananes mûres
- 700 g de sucre (environ)
- 1 citron non traité
- 100 gr de raisins blonds de Californie
- 2 cuillères à soupe de rhum
- 1 gousse de vanille (facultatif) fendu en 4
- un peu de gingembre râpé
- 1 verre d'eau

Peler le citron et détailler le zeste en fines lamelles. Garder le fruit.
Laisser macérer les zestes sur feu doux pendant 8 heures avec le raisin blond, un peu de gingembre râpé, deux cuillères de rhum et demi verre d'eau.
Presser le citron pour en recueillir le jus.
Peler, couper les bananes en rondelles, et les arroser de jus de citron pour éviter l'oxydation.
Peser les bananes pour calculer le poids du sucre.
Mélanger les bananes avec le sucre, et demi verre d'eau.
Vous pouvez ajouter une gousse de vanille et laisser macérer [2] pendant 8 heures.
Le lendemain, verser le mélange bananes, sucre plus les zestes de citrons confits dans la bassine à confiture et laisser cuire 15 minutes, tout en remuant car cette confiture attache facilement au fond.
Ecumer [3] si nécessaire.
Enlever la gouse de vanille.
La confiture est cuite lorsqu'elle est devenue translucide et épaisse
Mettre en pots, les couvrir et les retourner [4].
Laisser reposer 1 à 2 semaine avant de déguster.

- 1 kg of ripe bananas
- 700 g sugar (approx)
- 1 untreated lemon
- 100g sultanas
- 2 table spoons of rum
- 1 vanilla pod (optional) broken into 4
- a little ground ginger
- 1 glass (20cl) of water

Remove the zest from the lemon and slice finely. Leave to macerate with the sultanas, the ginger, the rum and half a glass of water for 8 hours on very low heat.
Squeeze the lemon and keep the juice.
Peel the bananas and cut into rounds. Cover with the lemon juice to prevent discolouration.
Weigh the bananas to calculate the weight of sugar required.
Mix the bananas with the sugar and half a glass of water.
Add the vanilla pod (optional) and leave to macerate[2] for 8 hours.
The following day, put the banana and sugar mixture with the crystallised zest mixture in the jam saucepan and cook for 15 minutes at medium heat stirring continuously as this jam will readily stick to the bottom of the pan. Skim[3] if needed.
Remove vanilla pod.
The jam is ready when it has become translucent and thick.
Put in pots. Cover and seal using the "upside down" method[4].
Leave for 1-2 weeks before tasting.

| Si vous avez un faible pour les « douceurs », cette confiture est pour vous. | This jam is definitely for those with a sweet tooth. |

bananes dans le jardin de l'hôtel Diderot 2003
nanas growing in the Hotel Diderot garden in 2003

Confiture de Rhubarbe [et Citron] - Rhubarb [and lemon] jam

Préparation : 20 min. - Macération : 12-24h. - Cuisson/Cooking : 15-20 min. approx.

Voici une double recette pour confiture de rhubarbe avec ou sans citron. Pour faire la confiture sans citron ignorer les directives en italique.
Vous pouvez remplacer les citrons par des oranges.
La confiture rhubarbe citron est la confiture préférée de Françoise.

This is a combined recipe for rhubarb jam with or without lemon. For plain rhubarb jam ignore the instructions in italics.
You could substitute oranges for lemons.
Rhubarb and lemon jam is Françoise's favourite.

- 1 kg de rhubarbe
- 850g de sucre par kilo de fruit
  - *3 citrons non traités*
  - *150 g de sucre pour confire les zeste de citrons*

Laver les tiges de rhubarbe après avoir retiré les feuilles.
L'épluchage n'est indispensable que si la rhubarbe est fibreuse.
Couper les tiges de rhubarbe en petits tronçons, et les peser pour calculer le poids du sucre.
Dans un récipient inoxydable, mettre la rhubarbe à macérer [2] avec le sucre pendant une nuit.
Pendant ce temps, retirer le zeste des 3 citrons, les émincer en petites lanières très fines.
Faire confire[1] ces lanières avec le 150g sucre à feu très doux.
Presser les citrons et réserver le jus.
Le lendemain, cuire le mélange de sucre et rhubarbe à feu très doux 15 à 20 minutes environ.
Tourner sans cesse car cette confiture a tendance à attacher.
Ecumer [3] fréquemment.
5 à 10 minutes avant la fin de la cuisson ajouter les zestes de citrons confits, et le jus des 3 citrons. Bien mélanger.
La confiture est cuite lorsque le fruit est translucide et le jus épais.
Mettre en pots, les couvrir et les retourner [4].

- 1 kg rhubarb
- 850g sugar per kilo of fruit
  - *3 untreated lemons*
  - *150 g sugar to candy the lemon zest*

Remove and discard the leaves. Wash the sticks of rhubarb.
Peeling is only necessary if the rhubarb is stringy.
Cut the sticks of rhubarb into little pieces and weigh them to calculate the weight of sugar.
Put the fruit and the sugar in a stainless container to macerate[2] overnight.
At the same time, take the zest from the lemons and chop it into very thin strips.
Make candied peel[1] with the 150 g of sugar on a very low heat.
Squeeze the lemons and save the juice.
The following day cook the sugar and rhubarb mixture on a very low heat for about 20-30 minutes.
Stir continuously for this jam has a tendency to stick.
Skim[3] frequently.
5 - 10 minutes before the end of cooking, add the candied lemon peel and the juice of the 3 lemons. Mix well.
The jam is cooked when the fruit has become translucent and the juice has thickened.
Put into pots and cover using the "upside down" method[4].

L'HISTOIRE COMMENCE - THE STORY BEGINS

Le bâtiment qui est maintenant l'hôtel Diderot, date du 15ème siècle et c'est sans aucun doute à cause d'un incendie, qu'il a été totalement transformé vers le 18ème siècle.

La reconstruction faite à cette époque existe encore aujourd'hui avec le balcon unique et plein d'imagination et son escalier en colimaçon ajouté au 19ème siècle.

Avant l'ouverture de l'hôtel, la famille Baillon habitait le bâtiment principal, et la partie droite du bâtiment était le bureau de la conservation des Hypothèques de Chinon.

Monsieur Lainel a acheté le bâtiment dans les années 1960 et l'a transformé en hôtel. Roger et Moricette Lainel ont dirigé l'hôtel jusqu'en 1979 date laquelle il l'ont vendu à Théo et Françoise Kazamias. En 2003 Laurent, Françoise et Martine Dutheil on repris l'entreprise.

Mme Lainel fabriquait des confitures classiques, utilisant les bons produits frais du jardin. Elle est à l'origine de la confiture de pêche angélique. Elle vit près de l'hôtel et fournit encore l'angélique de son jardin pour les confitures d'aujourd'hui.

The building that is now the Hotel Diderot dates from the 15th century and it is undoubtedly due to a fire that it was profoundly transformed around the 18th century.

The rebuilding from that time has survived to this day with the unique, imaginative forged iron balcony and spiral stairs added in the 19th century.

Prior to the opening of the hotel, a family called Baillon lived in the main building and the part on the right was used as the Chinon mortgage office.

M. Lainel bought the building in the 1960s and transformed it into an hotel. Roger and Moricette Lainel ran the hotel until 1979 when it was sold to Théo and Françoise Kazamias. In 2003, Laurent, Françoise and Martine Dutheil took over the business.

Mme Lainel produced classical jam using good fresh garden ingredients. Hers is the peach and angelica. She lives close to the hotel and still provides the home-grown angelica for today's jam.

Mme Lainel dans son jardin
Mme Lainel in her garden

22

ÉTÉ - SUMMER

Confiture de Fraises à la Vanille Tahiti - Strawberry and Vanilla Jam

- pour Gisèle

Préparation : 20min - Macération : 8h - Cuisson/Cooking : 15-20 min. approx.

- 1 kg de fraises du jardin
- 1 gousse de vanille de bonne qualité
- 750 g de sucre
- le jus de 3 citrons

Laver les fraises sans les équeuter, puis les sécher sans les écraser.
Retirer la queue, et couper les fraises si cela est nécessaire, soit en deux ou en quatre, suivant la grosseur et dans le sens de la longueur.
Fendre la vanille en 4 dans le sens de la longeur.
Dans une terrine placer les fraises avec la gousse de vanille fendue, et ajouter le sucre dessus.
Laissez macérer [2] le tout 8 heures.
Le lendemain le sucre est dissous par le jus des fraises.
Ajouter le jus des 3 citrons.
Cuire à feu doux. Remuer et écumer [3]. Au bout de 15 minutes environ, contrôler la cuisson. Une goutte de préparation versée sur une assiette gelée doit figer rapidement.
Récupérer la gousse de vanille. Avec une pointe de couteau retirer les graines, les incorporer à la confiture, et mélanger délicatement.
Mettre en pots, les couvrir et les retourner [4].

- 1 kg of garden strawberries
- 1 good quality vanilla pod
- 750g sugar
- juice of 3 lemons

Wash the strawberries, without hulling. Dry them well but without crushing them.
Remove the stalks. If the strawberries are large cut them into either halves or quarters lengthwise.
Split the vanilla pod into 4 lengthwise.
Put the strawberries and the vanilla in a bowl and cover with the sugar.
Leave to macerate[2] for 8 hours.
The following day the sugar will be dissolved into the juice of the strawberries.
Add the juice of the 3 lemons.
Cook on a low heat. Stir and skim[3]. Test after about 15 minutes.
When cooked, a drop of mixture tipped on to a very cold plate should set rapidly.
Retrieve the vanilla pod. With the point of a knife scrape out the seeds and mix them gently into the jam.
Put into pots. Cover and seal using the "upside down" method[4].

Depuis 3 ans Laurent prépare cette confiture avec de la vanille que son amie Gisèle Blaisonneau envoie directement de Tahiti par la poste. Il dit que cette vanille est riche de parfum, et généreuse de saveur : tout comme Gisèle !!!

Laurent has made this jam for 3 years with the vanilla that his friend Gisèle Blaisonneau sends directly by post from Tahiti. He says it is rich in flavour, generous and spicy - just like her!!!

CONFITURE DE PÊCHES ET MELON DE LIGRÉ - PEACH AND MELON JAM FROM LIGRÉ

Préparation : 30 min - Macération : 18 h - Cuisson/Cooking : 15-20 min. approx.

- 500 g de pêches
- 500 g de melon mûr et parfumé
- 750 g de sucre par kilo de fruits préparés

Peler les pêches après les avoir plongées 30 secondes dans l'eau bouillante.

Couper les pêches en deux, les dénoyauter et les recouper en petits morceaux.

Couper les melons en deux, les épépiner, retirer la peau et les couper en petits morceaux.

Peser les pêches et les melons ensemble pour calculer le poids du sucre (750 g de sucre par kilo de fruits).

Mettre au frais pendant 18 heures les morceaux de fruits avec le sucre à macérer [2] dans un récipient inoxydable.

Le lendemain, porter rapidement à ébullition. Cuire à feu doux le mélange fruits-sucre pendant environ 15 à 20 minutes maximum. Ecumer [3] fréquemment.

Remuer de temps en temps car cette confiture à tendance à coller au fond.

Mettre en pots, les couvrir et les retourner [4].

- 500g peaches
- 500g ripe, sweet smelling melon
- 750g sugar per kg of prepared fruit

Peel the peaches after plunging them into boiling water for 30 seconds.

Cut the peaches in half and remove and discard the stones. Cut the flesh into little pieces.

Cut each melon in half and remove the pips and skin. Cut the flesh into small pieces.

Weigh the peaches and melons to calculate the weight of sugar needed (750g sugar / kg fruit).

Put the peach and melon pieces in a stainless container. Cover with the sugar and leave to macerate [2] for 18 hours.

The following day, bring the mixture quickly to the boil. Cook for about 15 to 20 minutes on a low heat skimming [3] often.

Stir from time to time as this jam has a tendency to stick to the bottom of the pan.

Put into pots. Cover and seal using the "upside down" method [4].

Laurent remercie chaleureusement Sonia et Gilbert, grâce à qui les Côteaux de Ligré donnent entre autre, d'aussi bons melons.

Laurent warmly thanks Sonia and Gilbert from the hills around Ligré, just south of Chinon, who have provided him with such excellent melons.

CONFITURE DE QUATRE FRUITS TRADITIONNELLE - TRADITIONAL FOUR FRUIT JAM

Préparation : 20 min - Cuisson/Cooking : 40 min approx

- 250 g de cerises aigrelettes
- 250 g de fraises
- 250 g de groseilles ou cassis 150 g
- 250 g de framboises
- 800 g de sucre
- 2 verres d'eau

Préparer les fruits : les laver, dénoyauter les cerises, équeuter les cerises et les fraises, égrener les groseilles ou fendre le cassis.

Peser les fruits préparés pour calculer le poids du sucre.

Faire fondre doucement le sucre avec l'eau.

Porter ensuite le sirop à feu vif jusqu'à gros bouillons.

Verser les cerises dans le sirop et les laisser cuire 15 min à feu moyen.

Remuer de temps en temps.

Ajouter les fraises. Les cuire 10 min. Ajouter le cassis (si vous utilisez du cassis à la place de la groseille.)

Ajouter les groseilles et les cuire seulement 5 min.

Enfin, ajouter les framboises et continuer la cuisson 10 à 15 min.

La confiture est cuite lorsqu'une goutte de sirop versée sur une assiette froide fige presque aussitôt.

Mettre en pots, les couvrir et les retourner [4].

- 250g acid cherries
- 250g strawberries
- 250g gooseberries or 150g blackcurrants
- 250g raspberries
- 800g sugar
- 2 glasses water (40cl)

Prepare the fruit: Wash all, stone the cherries, remove stalks from cherries and strawberries, remove the down from the gooseberries or split the blackcurrants.

Weight the fruit to calculate the weight of sugar.

Gently mix the water and sugar.

On a high heat bring the syrup to the boil until it forms large bubbles on the surface.

Tip the cherries into the syrup and cook for 10 minutes on a medium heat.

Stir from time to time.

Add the strawberries. Cook for 10 minutes. Add the blackcurrants if used.

Add the gooseberries and cook for just 5 minutes.

Finally, add the raspberries and continue cooking for 10 to 15 minutes.

The jam is cooked when a drop of syrup dropped on to a very cold plate sets almost immediately.

Put in pots. Cover and seal using the "upside down" method[4].

Un peu d'eau de vie de framboise accentue le parfum. Si vous attendez plusieurs semaines avant de les consommer, le résultat n'en sera que meilleur. Vous pouvez me croire, même s'il est difficile de résister tout ce temps…

A little raspberry eau de vie would strengthen the flavour. If you can wait a few weeks before tasting, the result will be so much the better but believe me it might be difficult to resist for that long…

Confiture d'Abricot et Cassis - Apricot and blackcurrant jam

Préparation : 20min - Macération: 12h - Cuisson/Cooking 15 - 20 min approx

- 1 kg (denoyautés) d'abricots frais du Roussillon
- 300 g de cassis frais du jardin
- 1,1 kg de sucre

Couper les abricots en quatre et retirer les noyaux.

Nettoyer les cassis en retirant le pédoncule.

Écraser les grossièrement avec vos mains et faire macérer [2] avec les quartiers d'abricots et le sucre pendant 12 heures.

Le lendemain, lorsque le sucre est dissous, faire cuire 20 min maximum tout en remuant de temps en temps.

Écumer [3] fréquemment.

La marmelade est cuite lorsque le jus est devenu épais et qu'une goutte versée sur une assiette gelée prend instantanément.

Mettre en pot, les couvrir et les retourner [4].

- 1 kg (stoned) fresh apricots
- 300 g blackcurrants fresh from the garden
- 1.1 kg sugar

Cut the apricots into 4 pieces. Remove and discard the stones.

Wash the blackcurrants and remove the stalks. Crush them roughly by hand.

Macerate[2] the blackcurrants and apricots with the sugar for 12 hours.

The following day when the sugar has dissolved, cook for 20 minutes maximum, stirring from time to time.

Skim[3] frequently.

The jam is cooked when the juice has thickened and a drop of juice on a very cold plate sets straight away.

Put into pots. Cover and seal using the "upside down" method[4].

Cette recette quoique simple, mérite toute votre attention, car la puissance du parfum du cassis ne doit en aucun cas masquer la subtilité de l'abricot.

De plus, c'est l'une des confitures préférée de Jane.

Although this is a simple recipe it warrants careful attention because the richness of the blackcurrants should not mask the subtlety of the apricots.

Furthermore it is Jane's favourite!

Confiture d'Abricots - apricot jam
- À la façon de Madame Kazamias

Préparation : 15 min - Maceration: 18h - Cuisson/Cooking : 15 - 20 min approx

- 1 kg d'abricots
- 750 g de sucre

Couper les abricots en quatre et retirer les noyaux.

Dans un récipient inoxydable, mettre les fruits à macérer [2] avec le sucre pendant 18h.

Faire bouillir à feu doux le mélange environ 15 à 20 min.

Remuer de temps en temps.

La marmelade est cuite lorsque le jus est devenu épais.

Mettre en pots, les couvrir et les retourner [4].

- 1 kg apricots
- 750g sugar

Cut the apricots in four. Remove and discard the stones.

Mix the fruit and sugar in a stainless container and leave to macerate[2] for 18 hours.

Cook on a low heat for about 15 to 20 minutes.

Stir from time to time.

The jam is cooked when the juice has thickened.

Put into pots. Cover and seal using the "upside down" method[4].

Vous pouvez tout comme Madame Kazamias, ajouter en fin de cuisson la valeur d'une cuillère à café de feuilles de pélargonium citron … c'est un vrai régal…

Pour un fournisseur voir page 62.

Like Madame Kazamias, you could add a teaspoon of dried, lemon scented pelargonium leaves at the end of cooking. It is truly delightful.

If you have difficulty in finding scented pelargoniums see the reference section on page 62 for a supplier.

L'HISTOIRE DE MARISSOU - THE STORY OF MARISSOU

Laurent raconte cette histoire :

« Marissou était la cousine de mon père. Elle a sacrifié sa vie pour tous, dans ce "pays de mes ancêtres".

Elle est née en 1910 à Espagne de Darnetz, un tout petit village de Corrèze.

Marissou devait, suite à la réussite de ses examens de l'administration des postes, aller travailler à Égletons. Mais Marissou avait une sœur, Thérèse, qui est décédée des suites de l'accouchement de sa fille Lulu.

La famille lui a demandé d'élever la petite Lulu et d'épouser son beau-frère François.

Elle est donc restée au village pour s'occuper de sa nièce qui est devenue sa fille, tout en s'occupant de la ferme.

Pendant la seconde guerre mondiale, elle s'est occupée avec sa cousine Mimi, du ravitaillement du "maquis" (résistance française) qui était très présent dans les montagnes de Corrèze.

Puis, des jours meilleurs : la famille, les cousins, les petits-cousins...beaucoup de souvenirs de vacances pour nous tous ici à Chinon.

Les Myrtilles poussent dans les montagnes tout près de chez Marissou, et c'est Lulu sa fille qui me les fournit aujourd'hui.

C'est l'histoire vraie d'une tatie humble et courageuse. »

Laurent tells this story:

"Marissou was my father's cousin. She sacrificed her life for everyone in the 'land of my ancestors'.

She was born in 1910 in 'Espagne de Darnetz' a tiny village in Corrèze.

Following her success in the administration exams Marissou was to go to work in the town of Égletons. But Marissou had a sister, Thérèse, who died giving birth to her daughter Lulu.

The family asked her to bring up little Lulu and to marry her brother-in-law François.

So she stayed in the village to look after her niece who became her daughter and to look after the farm.

During the second world war, she and her cousin Mimi worked to supply the 'maquis' (French resistance) which was very active in the mountains of Corrèze.

Then the good times: the family, the cousins, the second cousins.... many holiday memories for us all here in Chinon.

The bilberries grow in the mountains close to Marissou's house and now it is Lulu who brings them to me today.

It is a true story of a humble and courageous aunt."

Confiture de Myrtilles - Bilberry/Blueberry/Whimberry jam

- pour Marissou
Préparation: 20 min - Cuisson/Cooking 15 min. approx.

- 1 kg de myrtilles
- 750 g de sucre
- 1 citron pour le jus.
- 2 verres d'eau

Laver les myrtilles très soigneusement, puis bien les sécher.

Faite fondre le sucre avec l'eau. Porter le mélange à feu vif afin d'obtenir de grosses bulles en surface.

A ce moment là, verser délicatement les myrtilles sans les écraser. Ajouter le jus de citron. Cuire plus ou moins pendant 15 minutes tout en remuant pour éviter que la marmelade ne colle au fond.

La confiture est cuite lorsqu'une goutte de préparation fige sur une assiette très froide.

Mettre en pots, les couvrir et les retourner [4].

C'est un régal après quelques semaines sur une tranche de brioche toastée.

Et vous pouvez également saucer le fond de la bassine avec du pain, hummm…

- 1 kg of bilberries, blueberries, or whimberries (the name will depend on where you live!)
- 750 g sugar
- the juice of 1 lemon
- 2 glasses of water (40cl)

Wash the fruit very carefully then dry well.

Mix the sugar and water and heat over a high heat to obtain large bubbles on the surface.

At this moment, gently mix in the bilberries without breaking them. Add the lemon juice.

Cook for around 15 minutes stirring continuously so that the jam doesn't stick to the bottom of the pan.

The jam is cooked when a drop of mixture placed on a very cold plate sets immediately.

Put into pots. Cover and seal using the "upside down" method[4].

If kept for a few weeks, it is really delicious on a slice of toasted brioche.

And you can mop the bottom of the cooking pan with a piece of bread, hummmmm…

C'est le Pays des origines de la famille Dutheil C'est du pays des mille sources, à la porte des Monédières que proviennent les myrtilles que Laurent utilise pour confectionner cette confiture en souvenir de la plus sage, la plus courageuse : Marissou.

It is from the origins of the Dutheil family, the land of a thousand springs, in the foothills of Monédières, that Laurent gets the bilberries that he uses for this confection in memory of the wisest and the bravest: Marissou.

CONFITURE DE FRAMBOISES DES PITOCHES

Préparation: 10 min - Macération : 6-8 h - Cuisson/Cooking : 15-20 min approx

- 1 kg de framboises bien mûres de votre jardin
- 750 à 800 g de sucre. Si les fruits sont naturellement sucrés, diminuer légèrement la quantité de sucre ajouté.

Retirer les queues et les feuilles et surtout ne pas les laver.

Mettre les fruits dans une terrine à macérer [2] avec le sucre.

Attendre de 6 à 8 heures suivant l'état de maturité des fruits
(plus mûrs = moins de temps).

Faire cuire le mélange à feu doux de 15 à 20 minutes en écumant [3] régulièrement.

Écumer en fin de cuisson.

Mettre en pots, les couvrir et les retourner [4].

> « Les Pitoches » sont un quartier de Chinon à mi-coteau entre la collégiale St Mexme et le début du quartier St Radegonde. Madame et Monsieur Kazamias y avaient un jardin dont la vue sur Chinon est un régal à elle seule. Cette confiture est créée avec des framboises de ce jardin.

RASPBERRY JAM FROM PITOCHES

- 1kg of ripe garden raspberries
- 750 - 800 g sugar. If the fruit is naturally sweet reduce the amount of added sugar.

Remove the stalks and the leaves from the raspberries but do not wash them.

Put the fruit and the sugar into a bowl to macerate[2].

Leave for between 6 and 8 hours according to the ripeness of the fruit
(riper fruit takes a shorter time).

Cook the mixture on a low heat for about 15 - 20 minutes skimming[3] often.

Skim again at the end of cooking.

Put into pots and cover using the "upside down" method[4].

> "Les Pitoches" is an area of Chinon half way up the hill between St. Mexme and the start of St Radegonde. Madame and Monsieur Kazamias had a garden there with a unique and wonderful view over the town. This jam was created with raspberries from that garden.

CONFITURE DE PÊCHES TRADITIONNELLE -TRADITIONAL PEACH JAM
À LA FAÇON DE MADAME LAINEL

Préparation : 15 min - Macération : 24h - Cuisson/Cooking : 15 - 20 min approx

- 1 kg de pêches (dénoyautées)
- 750g de sucre par kilo de fruits dénoyautés

Peler les pêches après les avoir plongées 30 secondes dans l'eau bouillante.

Couper les fruits en deux, les dénoyauter et les recouper en morceaux.

Peser les pêches dénoyautées pour calculer le poids du sucre.

Mettre les morceaux de fruits avec le sucre à macérer [2] pendant 24 heures.

Cuire le mélange à feu doux 15 à 20 min jusqu'à ce que les pêches deviennent translucides.

Remuer fréquemment. Ecumer [3].

Si une goutte de sirop versée sur une assiette très froide prend en gelée rapidement, c'est signe que la confiture est prête.

Mettre en pots, les couvrir et les retourner [4].

- 1 kg of (stoned) peaches
- 750g of sugar per kilo of stoned fruit

Peel the peaches after plunging them into boiling water for 30 seconds.

Halve each peach, remove the stone and cut the fruit into slices.

Weigh the fruit to determine the weight of sugar required.

Cover the fruit with the sugar and macerate[2] for 24 hours.

Cook on a low heat for 15 to 20 minutes until the peaches become translucent.

Stir frequently. Skim[3].

If a drop of syrup dropped on to a very cold plate rapidly becomes jelly, it is a sign that the jam is ready.

Put into pots. Cover and seal using the "upside down" method[4].

Angelique dans le jardin de Mme Lainel
Angelica in Mme Lainel's garden

On peut parfumer cette confiture en ajoutant en fin de cuisson mais hors du feu, 1 cuillère à soupe de Cognac, ou de Kirsch.
Mais le « fin du fin » est certainement d'ajouter tout comme Madame Lainel, 5 minutes avant la fin de cuisson, des petits tronçons d'angélique (la valeur d'une cuillère à soupe).

You could flavour the jam by adding a tablespoon of cognac or kirsch at the end of cooking when the mixture is removed from the heat.
But the ultimate is to add, like Madame Lainel, little pieces of angelica (about a tablespoon 5 minutes before the end of cooking).

Gelée de Pommes aux trois fleurs · Apple and three flower jelly

Préparation : 15 min - Cuisson/Cooking 30-50 min approx

- 1 kg de pommes
- 2 l d'eau
- 900g de sucre par litre de jus obtenu
- 200g de pétales de vieilles roses très parfumées (roses à peine épanouies)
- 5 à 6 têtes de lavande séchée de la saison précédente dans un « nouet »
- 200g de jasmin ou 10 cl d'eau de jasmin acheté en épicerie fine (voir page 62)

Laver les pommes, les essuyer. Ne pas enlever la peau.
Couper les fruits en morceaux; laisser les cœurs.
Couvrir les pommes avec de l'eau et les mettre à cuire.
Dés que les pommes sont tendres (vérifier avec une aiguille à tricoter), filtrer à travers une étamine serrée sans presser.
Récupérer le jus, et mesurer le pour calculer le poids du sucre.
Faire fondre doucement le sucre avec le jus de pommes.
Porter ensuite le sirop à feu vif environ 20 à 30 min.
Dans une passoire posée dans un grand récipient, déposer les pétales de roses et de jasmin.
Verser le sirop sur les pétales.
Laisser infuser 5 à 10 minutes.
Récupérer le premier sirop parfumé. Reporter à ébullition dans la casserole.
Verser une deuxième fois sur les pétales de roses et de jasmin.
Laisser infuser de nouveau 5 à 10 minutes.
Récupérer le sirop cette fois très parfumé et le mettre dans la bassine à confiture pour la cuisson finale.
Porter de nouveau à ébullition. 5 à 10 minutes avant la fin de la cuisson, déposer le nouet avec les têtes de lavande, afin de les infuser.
Contrôler la cuisson.
Laisser tomber sur une assiette gelée une goutte de la préparation.
La gelée est à point si la goutte se fige automatiquement. Retirer le nouet.
Mettre en pots, les couvrir et les retourner [4].

- 1 kg apples
- 2 litres water
- 900g sugar per litre of juice obtained
- 200g strongly scented petals from traditional roses (roses just opened)
- 5-6 heads of dried lavender from the previous season in a muslin bag
- 200g jasmine flowers or 10 cl jasmine water from a specialist supplier (see page 62)

Wash and dry the apples but don't peel them.
Cut them into pieces leaving in the cores.
Cover the apples with water and cook.
As soon as the apples are soft (test with a knitting needle) filter through a muslin cloth pulled in but not squeezed.
Measure the juice to calculate the amount of sugar required.
Stir the sugar into the juice.
Heat the syrup rapidly for about 20 - 30 minutes.
Put the rose petals and jasmine into a sieve and place the sieve in a large bowl.
Pour the syrup over the flowers.
Leave to infuse for 5 - 10 minutes.
Pour the syrup back into the heating pan and bring back to the boil.
Pour over the rose petals and jasmine for a second time.
Again leave to infuse for 5-10 minutes.
Pour the perfumed syrup back into the jam pan for the final cooking. Bring back to the boil.
5 - 10 minutes before the end of cooking put the muslin bag of lavender into the mixture to infuse.
Test to see if the mixture is cooked.
Put a drop of mixture on to a very cold plate. If the drop sets straight away, the mixture is cooked. Remove the lavender.
Put into pots. Cover and seal using the 'upside down' method [4]

Il est préférable de cueillir les fleurs de lavande pas complètement ouvertes. Les faire sécher la tête à l'envers à l'abri de la lumière. Elles garderont leur parfum plus longtemps.

It is better to pick the lavender flowers when not completely open and dry them with their heads down shaded from the light. Then they will keep their perfume longer.

Avant de venir à Chinon, Monsieur et Madame Kazamias ont passé plusiers années en Afrique. Ils se sont installés à Chinon et leurs deux filles furent élevées à l'hôtel. Les racines chypriotes de l'un et françaises de l'autre, ainsi que le temps passé en Afrique se retrouvent tout à fait dans la confiture faite par Madame Kazamias.

C'est pour des raisons commerciales que les confitures ont prospéré. L'idée était que les confitures en petit pot de plastique n'étaient pas excellentes et étaient gaspillées. Une sélection de vraies confitures naturelles dont vous pouvez vraiment sentir les fruits serait un avantage. Et cela a été prouvé !

Madame Kazamias utilisait á la fois des recettes traditionnelle et des recettes originales. La sienne est celle de l'abricot au pélargonium aromatique. L'influence africaine a ajouté les bananes à son répertoire. Chypre a apporté l'eau de rose, l'eau de fleur d'oranger, la bergamote et l'anis, et la France qui aime la gastrononie a fait amoureusement la synthèse de tout cela.

C'est Monsieur Kazamias qui a restauré le bâtiment avec une passion d'esthète : le soubassement du 15ème siècle, l'étage du 18ème et le balcon du 19ème siècle de la période de Gustav Eiffel, ont tous retrouvé leur ancienne splendeur. Une extension sympathique a été ajoutée en 1993. L'hotel et ses confitures ont progressé de concert.

Before coming to Chinon, Monsieur and Madame Kazamias spent many years in Africa. They settled in Chinon and their two daughters were brought up in the hotel. His Cypriot roots, her French ones and the time spent in Africa were all reflected in the jam she made.

It was for sound commercial reasons that the jam flourished. The rationale was that 'plastic jams' lacked quality and were wasteful. A selection of real, natural jams where you could really taste the fruit would be a selling point. And so it has proved!

Mme Kazamias used both traditional and original recipes. Hers is the apricot and scented pelargonium. The African influence brought bananas into her repertoire; Cyprus brought rose and orange flower water, bergamot and anise and France brought an understanding and love of good food.

It was Monsieur Kazamias who so lovingly restored the building. The 15th century base, the 18th century first floor and the 19th century balcony from the time of Gustav Eiffel were all restored to their former glory. A sympathetic extension was added in 1993. The progress of the hotel and its jams continued hand in hand.

Monsieur Kazamias dans son jardin
Monsieur Kazamias in his garden

AUTOMNE - AUTUMN

Confiture de Poires Vanille - Pear and Vanilla Jam

Préparation : 20 min - Macération : 12 – 24 hrs (suivant la maturité des fruits - depending on the ripeness of the fruit) - Cuisson/Cooking : 15 - 20 min approx

- 1 kg de poires à chair ferme
- 700 g à 750 g de sucre : pour un kilo de fruits frais
- 1 verre d'eau
- le jus de 2 citrons
- 1 gousse de vanille fendue en quatre

- 1 kg pears with firm flesh
- 700g to 750g of sugar per kilo of fruit
- 1 glass of water (20cl)
- juice of 2 lemons
- 1 vanilla pod broken into 4

Peler les poires, les couper en quartiers en retirant les cœurs et les pépins, puis couper les fruits en très fines lamelles. Verser au fur et à mesure dans une bassine avec le jus de citron pour éviter l'oxydation.

Peser la préparation pour calculer le poids du sucre. Ajouter le sucre, un verre d'eau et la gousse de vanille. Laisser macérer [2] 24 heures maximum au frais.

Le lendemain, verser la préparation dans la bassine à confiture. Laisser cuire à feu vif environ 15 à 20 minutes, en remuant fréquemment. Ecumer [3].

La confiture est cuite lorsque les fruits sont devenus translucides et qu'une goutte de sirop versée sur une assiette très froide prend en gelée aussitôt.

Retirer la gousse de vanille en extraire les grains, les remettre dans la préparation et mettre la confiture en pots.

Les couvrir et les retourner [4].

Peel and core the pears and cut them into quarters. Cut the fruit into very thin slices. Cover the fruit with lemon juice to prevent discolouration. Weigh the fruit to calculate the amount of sugar. Add the sugar, a glass of water and the vanilla pod. Leave in a cool place to macerate [2] for 24 hours maximum. Cook on a high heat for about 15 to 20 minutes stirring frequently. Skim [3]. The jam is cooked when the fruit has become translucent and when a drop of syrup placed on a very cold plate sets immediately. Retrieve the vanilla pod. Extract the seeds and add them to the mixture. Put in pots. Cover and seal using the "upside down" method [4].

On peut varier le parfum de cette confiture en ajoutant à la place de la vanille, soit un mélange d'épices broyées (clous de girofle, cannelle, anis) soit un peu de gingembre rapé, soit un peu d'eau de fleur d'oranger, soit un peu de rhum en fin de cuisson.

You can vary the flavour of this jam by replacing the vanilla with a mixture of ground spices (cloves, cinnamon, anise) or a little grated stem ginger, or a little orange flower water, or you could add a drop of rum at the end of the cooking.

GELÉE DE COINGS DE CHAMPTOCÉ SUR LOIRE - TRADITIONAL QUINCE JELLY

Préparation : 20 min - Cuisson/Cooking : 1 hr approx

- 1 à 2 kg de coings
- 2 l d'eau (en quantité suffisante pour recouvrir les fruits)
- 900 g de sucre par litre de jus

Laver les coings en les brossant afin de les débarrasser de leur duvet.

Ne pas enlever la peau.

Couper les fruits en morceaux, laisser les cœurs.

Démarrer la cuisson des coings à l'eau froide, le niveau de l'eau étant au niveau des fruits.

Dés que les fruit sont tendres (vérifier avec une aiguille à tricoter), filtrer le jus à travers une étamine serrée sans presser. L'idéal est de poser dans une grande passoire votre étamine.

Une fois le jus passé et les fruits au fond, reveler les 4 coins, et suspendre ce dernier afin de libérer un maximum de jus. Laissez suspendu plusieurs minutes voir une heure soit à un crochet soit entre les 4 pieds d'une chaise.

Mesurer le jus pour calculer le poids du sucre: 1 litre de jus pour 900 g de sucre.

Faire fondre doucement le sucre avec le jus.

Porter ensuite le sirop à feu vif environ 30 min.

La gelée est à point lorsque la dernière goutte qui se détache de l'écumoire est large et tombe sans se déformer.

Mettre en pots. Les couvrir et les retourner [4].

- 1 to 2 kg of quinces
- about 2 litres water (sufficient to cover the fruit)
- 900g sugar per litre of juice

Wash and brush the quinces to remove their down. Don't peel them.

Cut the fruit into pieces, leave in the hearts.

Cook the quinces in just enough cold water to cover them.

When the fruit is tender (test with a knitting needle) sieve the juice through a muslin sheet without squeezing. Ideally put the muslin in a sieve or colander. Once the juice is through hold up the corners of the muslin to extract the maximum juice. Leave suspended for some minutes.. maybe an hour. Use hooks or the 4 legs of an upturned chair.

Measure the juice and weigh out 900g of sugar per litre of juice.

Slowly dissolve the sugar in the juice.

Cook the mixture on high heat for about 30 minutes.

The jelly is ready when the last drop from the skimmer is large and falls without losing shape.

Put in pots and cover, using the "upside down" method for jellies[4].

Pour parfumer la gelée, on peut ajouter au cours de la cuisson soit des zestes grattés de citron ou d'orange, soit un peu d'épices broyées ou soit une gousse de vanille fendue.
Le travail de la gelée de coings est long, et est relativement pénible, mais la saveur et la couleur de cette gelée en font l'une des préférées de Laurent.

To flavour the jelly you could add the grated zest of a lemon or orange, a little mixed spice or a broken vanilla pod in the course of cooking.
The work involved in this jelly is long and relatively hard but the colour and flavour make it one of Laurent's favourites.

Gelée de Pommes à la Lavande - Apple Jelly with Lavender

Préparation : 15 min - Cuisson/Cooking : 30 min + 20-30 min approx

- 1 kg de pommes
- 2 l d'eau (en quantité suffisante pour recouvrir les fruits)
- 900g de sucre par litre de jus obtenu
- 4 à 5 têtes de fleur de lavande dans un petit « nouet »
- 4 à 5 têtes de fleur de lavande pour la décoration

Laver les pommes, les essuyer. Ne pas enlever la peau.

Couper les fruits en morceaux : laisser les cœurs.

Mettre les pommes à cuire avec l'eau.

Dés que les pommes sont tendres (vérifier avec une aiguille à tricoter), filtrer à travers une étamine serrée sans presser.

Mesurer le jus pour calculer le poids du sucre.

Faire fondre doucement le sucre avec le jus.

Porter ensuite le sirop à feu vif environ 20 à 30 min.

La gelée est à point lorsque la dernière goutte qui se détache de l'écumoire est large et tombe sans se déformer.

Au stade de fin de cuisson, il faut ajouter les têtes de lavande dans le petit « nouet ».

Laisser infuser 4 à 5 minutes sur feu très doux.

Retirer le « nouet ».

Mettre en pots, et ajouter 1 tête de lavande pour la décoration dans chaque pot.

Couvrir de préférence à froid.

> Il est préférable de cueillir des fleurs de lavande pas complètement ouvertes : elles garderont leur parfum plus longtemps.
> On peut également parfumer la gelée en ajoutant au cours de la cuisson une gousse de vanille.

- 1 kg apples
- about 2 litres water (sufficient to cover fruit)
- 900g sugar for each litre of juice obtained
- 4-5 flower heads of lavender in a little muslin bag
- 4-5 heads of lavender for decoration

Wash and dry the apples but don't peel them.

Cut the fruit into pieces. Leave the cores and pips in.

Cook the apples in the water. As soon as the apples are tender (test with a knitting needle) filter through a muslin sheet without squeezing.

Measure the volume of the juice to calculate the weight of sugar required.

Slowly dissolve the sugar in the juice.

Boil the syrup on a high heat for 20 to 30 minutes.

The jelly is cooked when the last drop falling from the skimmer is large and falls without deforming.

At the end of cooking add the lavender heads in the muslin bag.

Leave them to infuse 4 to 5 minutes on a very low heat then remove the bag.

Put in pots and add one flower head of lavender to each pot. Cover - preferably when cold.

> It is best to pick the lavender flowers before they are fully open. This way they keep their perfume longer.
> You could equally flavour the jelly by adding a vanilla pod during the cooking.

Gelée de Pommes aux Epices - Apple and Spice jelly

Préparation : 10 min - Maceration : 12h - Cuisson/Cooking : 30 min + 15 à 20 min. approx.

- 1 cuillère à soupe rase d'épices broyées
(anis étoilé, cannelle, clous de girofle…)
- 1 kg de pommes
- 2 l d'eau (en quantitié suffisante pour
recouvrir les fruits)
- 850g de sucre pour 1 litre de jus de
pommes obtenu.
- le jus de 1 citron

Laver les pommes, les essuyer.
Ne pas les peler. Couper
les fruits en morceaux. En
laissant les pépins.
Dans un fait-tout mettre les
pommes. Recouvrir d'eau,
cuire pendant 30 minutes
environ, jusqu'à ce que les fruits
soient tendres. (Vérifier avec une
aiguille à tricoter.)
Filtrer le jus à travers une étamine serrée
sans presser, et la suspendre par les 4 coins
pour en extraire naturellement le maximum de jus.
Mesurer le jus obtenu pour calculer le poids du sucre.
Verser dans la bassine à confiture le sucre avec le jus de pommes.
Ajouter le jus de citron
Faire cuire 15 à 20 min (moyen)
Remuer en cours de cuisson. Ecumer [2].
Ajouter les épices 5 minutes avant la fin de la cuisson.
On peut vérifier la cuisson en versant quelques gouttes de gelée
sur une assiette très froide. Elles se figent aussitôt sur les bords.
Verser dans les pots et laisser refroidir avant de couvrir.

- 1 level tablespoon of ground spices
(eg. star anise, cinnamon, cloves)
- 1kg apples
- 2 litres water (sufficient to cover fruit)
- 850g sugar per litre of juice obtained
- the juice of 1 lemon

Wash and dry the apples.
Don't peel them. Cut them into
pieces leaving in the cores
and pips.
Put the apples in a large
saucepan. Cover with
water and cook for about
30 minutes until the fruit is
tender. (Test with a knitting
needle.)
Filter the juice through a muslin
sheet. Don't squeeze but lift the
corners of the sheet to naturally
extract the maximum juice.
Measure the juice to calculate the required
weight of sugar.
In a jam saucepan mix the sugar, the apple juice and the
lemon juice.
Cook for 15 to 20 minutes on a medium heat.
Stir frequently. Skim[3].
Add the spices 5 minutes before the end of cooking.
Cooking is finished when droplets dropped on to a very cold
plate form a skin almost immediately.
Put into pots and leave to cool before covering.

CONFITURE DE TROIS PRUNES - THREE PLUM JAM

(reines-claudes, mirabelles, quetsches) - (greengage, cherry plum, damson)
Préparation : 15 min - Maceration : 12h - Cuisson/Cooking : 15 min approx

- 1 kg de prunes (denoyautées)
- 750g à 800g de sucre
- le jus d'un citron

Laver, égoutter, couper en 4, et dénoyauter les prunes.

Dans un récipient inoxydable mettre les fruits à macérer [2] avec le sucre et le jus du citron pendant 12 heures.

Porter doucement le mélange à ébullition.

Laisser cuire environ 15 min à feu moyen en remuant sans cesse, car cette marmelade a tendance à attacher facilement. Ecumer [3].

La confiture est cuite lorsque le jus est devenu épais.

Mettre en pot les couvrir, et les retourner [4].

- 1 kg of (stoned) plums
- 750g to 800g of sugar
- the juice of 1 lemon

Wash, drain, cut in four, and stone the plums.

Put the fruit, sugar and lemon juice in a stainless container and leave to to macerate [2] for 12 hours.

Gently bring the mixture to the boil.

Cook for a further 15 minutes on a medium heat stirring continuously as this jam has a tendency to stick. Skim [3].

It is cooked when the juice has thickened.

Put into pots. Cover and seal using the "upside down" method [4].

On peut parfumer la confiture avec de la vanille à la macération ou des feuilles de menthe en fin de cuisson et hors du feu.

You could flavour the jam with vanilla during maceration, or with mint leaves at the end of cooking when it is off the heat.
In England, the types of plum may be different - eg. victoria, czar. The varieties used here are 2 sweet and one acid plum. This gives a good balance to the jam.

CONFITURE DE KAKIS POUR RAYMONDE

Préparation: 20 min - Macération: 12h - Cuisson/Cooking: 15 à 20 min approx

- 1 kg de kakis très mûrs
- 850g de sucre cristallisé
- 2 citrons non-traités
- 2 cuillères à soupe de Rhum (facultatif)

Couper les kakis en deux et retirer la pulpe avec une cuillère à café. Enlever le trognon et la peau car ce sont des parties du fruit particulièrement astringentes.

Ajouter le sucre à la purée de fruit obtenue, le jus des 2 citrons et les zestes jaunes coupés en lamelles.

Macérer[2] pendant 12 heures. Faire cuire à feu doux pendant 20 minutes environ tout en remuant car cette confiture accroche facilement au fond.

Une fois que le jus devient épais et que les fruits sont translucides, considérer que votre confiture est cuite.

Mettre en pots, les couvrir et les retourner [4].

> Pour un plaisir plus exotique ajoutez en fin de cuisson un peu de rhum : c'est un régal.
> Laurent n'aurait pas pu créer cette recette, si Raymonde Gourée ne lui donnait pas tous les ans de façon si généreuse les fruits de son plaqueminier.
> Le kaki doit être ramassé après un coup de gel, lorsque l'arbre a perdu ses feuilles et que seuls les fruits oranges et translucides restent accrochés aux branches.

PERSIMMON JAM

- 1 kg of very ripe persimmons
- 850g sugar
- 2 untreated lemons
- 2 dessert spoons of rum (optional)

Cut the persimmons in half and take out the pulp with a teaspoon. Discard the skin and the cores as these are the most astringent parts of the fruit.

Add the sugar to the fruit purée obtained.

Add the juice and thinly sliced yellow zest of the 2 lemons.

Macerate[2] for 12 hours in a cool place.

Cook over a low heat for about 20 minutes strirring continuously as this jam will readily stick to the bottom of the pan.

Once the juice has thickened and the fruit is translucent, your jam is cooked.

Put into pots. Cover and seal using the "upside down" method [4].

> For a truly exotic result, add a little rum at the end of cooking. It's delightful.
> Laurent would not have been able to create this recipe, if Raymonde Gourée hadn't so generously given him the fruit from his persimmon tree every year.
> The persimmon fruit must be harvested after a frost when the tree has lost its leaves and only the orange, translucent fruit is left on the bare branches.

CONFITURE DE TOMATES VERTES AU CITRON

Préparation : 15 min - Macération : 24h - Cuisson/Cooking : 15-20 min approx
- 1 kg de tomates vertes
- 750 g de sucre
- 2 citrons non traités

Couper les tomates en deux, puis en tranches très minces.
Retirer les zestes des citrons, et les faire confire [1.] Presser les citrons.
Dans un récipient inoxydable, mettre les tomates, le jus de citron et le sucre à macérer [2] pendant 24h.
Le lendemain, faire cuire le mélange pendant 15 à 20 min environ à feu très doux.
Remuer fréquemment car cette confiture attache très facilement au fond.
Ajouter les zestes confits 5 minutes avant fin de la cuisson.
La confiture est cuite lorsque les fruits sont devenus translucides et que le jus a pris une belle couleur ambrée.
Mettre en pots, les couvrir et les retourner [4].

> On peut parfumer la marmelade de tomates avec différentes épices.
> C'est la confiture reine de l'automne et c'est la confiture préférée de Glyn et de Tata Berthe.
> Cette période annonce les premières gelées et les fruits ne mûrissent plus.

GREEN TOMATO JAM WITH LEMON

- 1 kg green tomatoes
- 750g sugar
- 2 untreated lemons

Cut the tomatoes in half, then into very thin slices.
Remove the zest from the lemons to make candied peel[1].
Squeeze the lemons
Put the tomatoes, lemon juice and sugar to macerate[2] in a stainless container for 24 hours.The following day, cook the mixture for about 15 - 20 minutes on a very low heat. Stir often as this jam sticks to the bottom of the pan.
Add the candied peel 5 minutes before the end of cooking.
The jam is cooked when the fruit becomes translucent and the juice has become a beautiful mellow colour.
Put in pots and using the "upside down" method[4].

> You could flavour the tomato jam with different spices.
> This is the queen of jams for autumn and is both Glyn's and Aunt Berthe's favourite.
> The first frosts will soon be here and the fruits won't ripen further.

Confiture de Pommes, Poires et Coings - Apple, Pear and Quince jam

Préparation : 20 min. - Maceration : 12h - Cuisson/Cooking : 30 min + 30 min. approx.

- 500g de pommes Reinette du Mans
- 500g de poires à chair ferme
- 500g de coings
- 300g de sucre
- 1 litre d'eau (en quantité suffisante pour recouvrir les fruits)
- 800g de sucre par litre de jus de pommes-coings
- le jus de 1 citron

Tout comme pour les gelées :

Couper les pommes en morceaux en laissant les pépins et la peau. Les disposer dans une casserole.

Mettre les pommes à cuire avec l'eau. Dès que les pommes sont tendres (vérifier avec une aiguille à tricoter), filtrer à travers une étamine serrée sans presser et réserver le jus.

Procéder de même pour les coings, et mélanger le jus des coings à celui des pommes. Le conserver au frais pendant 12 heures.

Peler les poires. Les couper en quatre dans le sens de la longueur. Retirer les pépins, et couper les quartiers en fines lamelles. Ajouter le jus de citron pour éviter l'oxydation. Faire macérer [2] les morceaux de poires dans 300g de sucre pendant 12 heures.

12 heures après, ajouter aux quartiers de poires, le jus de pommes-coings, puis la pesée de sucre correspondant (pour la valeur de 1 litre de jus pommes-coings 800g de sucre)

Porter à ébullition, et laisser cuire à feu moyen environ 30 minutes. Ecumer [3].

Contrôler la cuisson en versant une goûte de préparation sur une assiette gelée.

Mettre en pots, les couvrir et les retourner [4].

- 500g of apples
- 500g of pears with firm flesh
- 500g quinces
- 300g sugar
- 1 litre of water (sufficient to cover the fruit)
- 800g sugar per litre of juice from the apples and quinces
- juice of 1 lemon

As for all jellies:

Cut the apples into pieces leaving in the cores and the peel. Cover the apples with water and cook until tender (test with a knitting needle). Filter through a muslin sheet without squeezing and keep the juice.

Repeat for the quinces.

Mix the juice of the quinces with that of the apples. Keep in the fridge for 12 hours.

Peel the pears and cut into 4 lengthwise. Take out the cores and cut the flesh into thin slices. Cover with the lemon juice to prevent discolouration.

Macerate[2] the pieces of pear in 300g sugar for 12 hours.

After 12 hours, measure 800g sugar for each litre of apple-quince juice.

Put the juice of the apples and quinces, the pear mixture and the sugar into a pan.

Bring to the boil and cook on medium heat for about 30 minutes. Skim[3].

Test for setting point. When cooked, a drop of mixture tipped on to a very cold plate should set rapidly.

Put into pots. Cover and seal using the "upside down" method[4].

Vous pouvez parfumer cette confiture avec des épices ou une gousse de vanille.

You can flavour this jelly by adding some spices or a vanilla pod.

ET DE NOS JOURS - AND SO TO THE PRESENT

Laurent, Françoise et Martine Dutheil, un frère et deux sœurs, ont repris l'hôtel depuis 2003.

Leur arrière grand-père fut employé au milieu du 19ème siècle comme ouvrier au percement du tunnel de chemin de fer sous le coteau de Chinon.

Quelques années plus tard, un de ces fils, François, leur grand-père est arrivé à son tour à Chinon pour effectuer de multiple petits travaux. Avec le temps, il s'est établi à Chinon et a créé le Café du Château que leur tante Berthe a repris par la suite.

Quant à leurs parents, Robert et Colette, ils ont possédé un magasin de confection dans le centre ville. C'est donc tout naturellement que Laurent, Françoise et Martine travaillent dans un métier de commerce et de service.

Laurent s'occupe en priorité de la décoration, des confitures et du jardin. Françoise gère la réception et la tenue des comptes. Quant à Martine, elle chapeaute l'organisation du travail des étages et de l'intendance.

Au répertoire des confitures, Laurent a ajouté beaucoup de nouvelles variétés, dont nous vous livrons quelques recettes dans ce livre…

Laurent, Françoise and Martine Dutheil, a brother and two sisters, have run the hotel since 2003.

In the middle of the 19th century their great-grandfather was employed to work on the construction of the railway tunnel under the hill of Chinon. One of his sons, Francois, later came to Chinon and after many little jobs, set up the Café du Château which their aunt Berthe later took over.

Their parents Robert and Colette owned a clothing shop in the town. It was natural then that Laurent, Françoise and Martine should enter the world of commerce and service.

Laurent specialises in the décor, the jams and the garden. Françoise manages the reception and the accounts. Martine organises the housekeeping and the supplies.

As for the jams, Laurent has added many new varieties to the repertoire. Some of these are revealed in this book…

Laurent, Françoise et Martine dans le jardin de l'hotel Diderot
Laurent, Françoise and Martine in the Hotel Diderot garden

52

HIVER - WINTER

Confiture de Clémentines - Clementine marmalade

Préparation : 30min - Macération : 18h - Cuisson/Cooking : 15-20 min. approx.

- 1 kg de clémentines à peau fine
- 750g de sucre pour un kilo de clémentines préparées
- 1 verre d'eau

Laver et éplucher les clémentines.

Retirer les pépins.

Couper les écorces en fines lanières ou les hacher en petits morceaux.

Blanchir les écorces à l'eau bouillante 5 min. Égoutter.

Retirer les parties blanches sur la pulpe des fruits.

Détacher les quartiers des clémentines en retirant les fibres puis les couper en 2 ou 3 morceaux.

Peser les fruits préparés afin de calculer le poids du sucre nécessaire.

Ajouter le sucre sur les quartiers découpés, et laisser macérer [2] 18 heures.

Porter à feu moyen jusqu'au « perlé ». (A ce stade des bulles se forment à la surface du sirop.)

Laisser cuire 15 à 20 min à feu doux. Remuer de temps en temps pour éviter que la confiture ne colle au fond.

Ecumer [3].

La confiture est cuite lorsque les quartiers des clémentines et les écorces sont devenus translucides, et que le sirop a pris une belle couleur ambrée.

On peut vérifier la cuisson en versant quelques gouttes de sirop sur une assiette très froide. Elles se figent aussitôt sur les bords.

Mettre en pots, les couvrir et les retourner [4].

Conserver 1 à 2 semaines avant de déguster.

- 1 kg clementines with unblemished skin
- 750g of sugar per kilo of prepared clementines
- 1 glass (20cl) water

Wash and peel the clementines.

Remove and discard pips.

Cut the peel into thin slices or chop into little pieces.

Blanche the skin in boiling water for 5 minutes. Drain.

Remove the white pith from the fruit.

Separate the segments removing the white fibrous parts then cut each segment into 2 or 3 pieces.

Weigh the prepared fruit to determine the amount of sugar required.

Add the sugar to the fruit and peel and leave to macerate[2] for 18 hours.

Heat over a medium flame until "perlé" (when bubbles start to form on the surface).

Cook for a further 15 to 20 minutes on a low heat. Stir gently from time to time to stop the jam sticking to the bottom of the pan.

The jam is cooked when the pieces of fruit and peel have become translucent and the syrup has taken on a golden colour.

Check for "setting point". The jam is cooked when a drop of syrup dropped on to a cold plate immediately forms a jelly. The sides of the drops should set immediately.

Put into pots. Cover and seal using the "upside down" method[4].

Keep 1 to 2 weeks before tasting.

S'il est une confiture que Martine aime, c'est bien celle-là…
Laurent doit s'assurer d'en avoir pour toute une année…

Because it is Martine's favourite, Laurent must be sure to make enough to last the whole year.

Gelée d'Oranges Traditionnelle - Traditional Orange Jelly

Préparation : 15 min - Cuisson/Cooking : 30 min approx

- 1 kg d'oranges variété Maltaise
- 850 g sucre par litre du jus d'orange

Extraire le jus des oranges à la main ou à la centrifugeuse électrique.

Filtrer à travers une étamine très fine ou un bas de femme.

Peser le jus pour calculer le poids du sucre.

Faire fondre doucement le sucre avec le jus.

Laisser bouillir sur feu doux environ 30 minutes, tout en remuant de temps en temps.

La gelée est cuite lorsqu'une goutte de sirop versée sur une assiette très froide se fige aussitôt.

Mettre la gelée en pots et les couvrir de préférence à froid.

- 1 kg Maltese blood oranges
- 850 g sugar per litre of juice

Extract the juice of the oranges by hand or by electric juicer.

Filter with a very fine gauze or stockings.

Weigh the juice to calculate the required sugar.

Gently mix the sugar and juice.

Simmer for about 30 minutes stirring from time to time.

The jelly is cooked when a drop of syrup on a very cold plate sets immediately.

Put the jelly into pots and cover when cold.

Vous pouvez ajouter en fin de cuisson des zestes d'oranges confits [1].
Les oranges maltaises ont beaucoup de jus et une bonne saveur. Elles sont disponibles juste après les oranges de Séville (celles qui sont amères et avec lesquelles on fait la marmelade d'orange traditionnelle).

You could add crystallised zest[1] of orange at the end of cooking.
Maltese blood oranges are juicy with a strong sweet flavour and very little red colouring of the flesh. They are available just after Seville oranges (the bitter oranges most usually used for orange marmalade). An alternative is the normal blood orange or any strong flavoured juicy orange.

Confiture de Kiwis Traditionnelle - Traditional Kiwi jam

Préparation : 15 min - Cuisson/Cooking : 10 min + 10 min approx

- 1 kg de kiwis
- 750g de sucre
- 1 verre d'eau
- 1 citron

Peler les kiwis et les couper en rondelles. Recueillir le jus.

Faire fondre doucement le sucre avec l'eau, puis ajouter le jus de kiwis et du citron. Porter ensuite le sirop à feu vif jusqu'au "perlé". A ce stade des bulles se forment à la surface du sirop (10 min environ). Verser les kiwis dans le sirop et laisser cuire 10 min environ à feu moyen. Remuer très délicatement car les fruits sont fragiles. Ecumer [3].

La confiture est cuite lorsqu'une goutte de sirop versée sur une assiette froide prend en gelée immédiatement.

Mettre en pots, les couvrir et les retourner [4].

- 1 kg of kiwi fruit
- 750g sugar
- 1 glass (20cl) water
- 1 lemon

Peel the kiwi fruit and cut into slices capturing the juice.

Gently mix the sugar and water, then add the juice of the kiwi fruit and the juice of the lemon.

On a high heat bring the syrup to the point of pearling. At this point bubbles form on the surface of the syrup (about 10 mins).

Add the kiwi fruit to the syrup and let it cook for 10 minutes on a medium heat. Stir very gently because the fruit is very fragile. Skim[3].

The jam is cooked when a drop of syrup dropped on to a cold plate immediately forms a jelly.

Put into pots. Cover and seal using the "upside down" method[4].

Au début vous pouvez ajouter à la préparation de cette confiture, des rondelles d'une banane. (Les citronner afin d'éviter qu'elles ne noircissent.)

During preparation of the fruits, you could add rounds of banana to the mixture (covering them with lemon juice to avoid discolouration).

Confiture d'Ananas Frais - Fresh pineapple jam

Préparation : 15 min - Macération : 36h - Cuisson/Cooking : 15 - 20 min approx

- 1 kg de chair d'ananas épluché (soit 2 ananas entiers très mûrs)
- 700g de sucre
- 1 citron
- 1 gousse de vanille

Eplucher l'ananas. Supprimer le cœur ligneux et les yeux.
Couper en 8 quartiers, puis en morceaux très fins. Recueillir le jus : il est très bon !
Peser la pulpe d'ananas pour calculer le poids du sucre. Pour 1 kg de fruit, 700g de sucre suffiront surtout si votre ananas est à maturité.
Mélanger le sucre, le fruit et jus de citron dans un récipient inoxydable.
Ajouter la gousse de vanille fendue en 4.
Laisser macérer [2] le sucre, le jus du citron et les morceaux de fruit pendant 36 heures au frais.
Le lendemain, porter rapidement à ébullition. Laisser bouillir doucement le mélange pendant 15 - 20 min environ. Écumer [3].
Remuer constamment car cette confiture colle très facilement au fond.
La confiture est cuite lorsqu'elle a pris une belle couleur ambrée, que le jus est devenu épais, et que les morceaux sont devenus translucides.
Mettre en pots, les couvrir et les retourner [4].

- 1 kg of good pineapple flesh - equivalent to 2 whole very ripe pineapples
- 700g sugar
- 1 lemon
- 1 vanilla pod

Peel the pineapples. Remove the woody centre and the eyes.
Cut each pineapple into 8 segments then slice very finely.
Keep the juice – it is very good!
Weigh the pineapple pulp to calculate the weight of sugar. For each kg of fruit, 700g of sugar will be enough especially if your pineapples are ripe.
Mix the sugar, fruit and lemon juice in a stainless container.
Add the vanilla pod broken into 4 pieces.
Leave the mixture to macerate[2] for 36 hours in a cool place.
The following day, bring the mixture rapidly to the boil and simmer gently for about 15 - 20 minutes. Skim[3].
Stir continuously as this jam has a tendency to stick to the bottom of the pan.
The jam is cooked when it has taken up a beautiful amber colour, the juice has thickened and the pieces of fruit have become translucent.
Put into pots. Cover and seal using the "upside down" method[4].

> Vous pouvez ajouter en fin de cuisson du rhum pour le côté exotique de la recette.

> At the end of cooking, you could add a drop of rum to bring out the exotic side of this recipe.

CONFITURE AUX TROIS AGRUMES - CITRUS MARMALADE

Préparation : 30 min - Macération : 24 h + 24 h - Cuisson/Cooking 15-20 min + 15-20 min approx

- 4 oranges non traitées à peau fine
- 2 pamplemousses
- 1 citron
- 850g sucre pour 1 kilo de preparation

Laver et éplucher les fruits.

Presser les fruits. Conserver le jus dans un récipient non oxydable.

Couper les écorces en fines lanières ou hacher les en petits morceaux.

Faire macérer [2] le jus plus les écorces 24 heures au frais dans un récipient non oxydable.

24 heures après, porter la préparation jus plus écorces à ébullition. Ecumer et retirer du feu. Peser les fruits préparés afin de calculer le poids de sucre nécessaire. (Ajouter la quantité de sucre : 850 g pour un kilo de préparation à la préparation encore chaude.)

Laisser de nouveau reposer 24 heures.

Le lendemain porter à feu moyen jusqu'au " perlé". A ce stade, des bulles se forment à la surface du sirop.

Laisser cuire 15 à 20 min à feu doux. Remuer de temps en temps pour éviter que la confiture ne colle au fond.

Ecumer [3].

La confiture est cuite lorsque les écorces sont devenus translucides et que le sirop a pris une couleur légèrement ambrée.

On peut vérifier la cuisson en versant quelques gouttes de sirop sur une assiette très froide. Elles se figent aussitôt sur les bords.

Mettre en pots, les couvrir et les retourner [4].

Conserver 1 à 2 semaines avant de déguster.

- 4 untreated oranges with good skin
- 2 grapefruit
- 1 lemon
- 850g of sugar per kilo of prepared fruit

Wash and peel the fruit.

Squeeze the fruit and save the juice in a stainless container.

Cut the peel into thin strips or chop into little pieces.

Macerate[2] the juice with the peel for 24 hours in a stainless container in a cool place.

24 hours later, bring the mixture to the boil. Skim and remove from the heat. Weigh the juice mixture to calculate the required sugar. (Add 850g sugar per kilo of juice mixture while it is still hot.)

Leave for a further 24 hours.

The following day cook on a medium heat until "pearling". At this stage bubbles form on the surface of the mixture.

Cook for a further 15 - 20 minutes on low heat. Stir from time to time to stop the jam sticking to the bottom of the pan. Skim[3].

The marmalade is cooked when the peel has become translucent and the syrup has taken on a slightly golden colour.

You can check this by dropping a little syrup on to a very cold plate. The sides of the drops should set straight away.

Put in pots. Cover and seal according to the "upside down"

Keep for 1 - 2 weeks before tasting.

Références - References

Pélargoniums parfumés - Scented pelargoniums

Michael Loftus
Woottens of Wenhaston
Halesworth
Suffolk IP19 9HD
U. K.
Tel: +44 (0) 1502 478258
Fax: +44 (0) 1502 478888
Email: michael@woottensplants.co.uk
Website: www.woottensplants.co.uk

Roses parfumées - Scented roses

David Austin Roses Ltd
Bowling Green Lane
Albrighton
Wolverhampton WV7 3HB
Tel: +44 (0) 1902 376 370
Fax: +44 (0) 1902 375177
Website: www.davidaustinroses.com
Chercher sous « Roses Anglaises » - look under "English Roses"
Disponible en UK et Europe - Will send to UK and Europe

Eau de fleurs - Flower waters

J W Munro Ltd
18 Bogmoor Place
Glasgow G51 4TQ

Tel: +44 (0) 141 445 4339
Fax: +44 (0) 141 445 5511
Email: enquiries@jwmunro.co.uk
Website: www.jwmunro.co.uk

Vanille - Vanilla

Vanilla Pods by Post
1 Scholes Lane
Scholes
W Yorks BD19 6PA

Tel: +44 (0) 1274 875356
Website: www.vanilla-pods.co.uk
Disponible en UK et Europe - Will send to UK and Europe

Réglisse, poudre de - Liquorice powder

Impiran
Ramirez de Arellano
No 6 Syros
28043 Madrid
Spain

Tel: +34 (0) 669 990321
Fax: +34 (0) 914 135867
Website: www.impiranspain.com/liquorice.htm

Index

À PROPOS DE NOUS · ABOUT US

Laurent Dutheil

Après le collège d'enseignement secondaire, Laurent a passé deux ans à l'école hôtelière. Au début il a voulu être un chef cuisinier mais il a changé d'avis parce qu'il ne voulait pas être enfermé dans la cuisine sans aucun contact avec ses clients. Il a travaillé au Château d'Artigny et au Château d'Esclimont et pendant trois ans au restaurant Charles Barrier à Tours. Il a passé deux ans à Londres à l'hôtel Connaught et il a été aussi maître d'hôtel et gérant de restaurant en France et en Angleterre. Il est arrivé à l'hôtel Diderot en 1998 et il a pris la relève pour confectionner les confitures en 2001.

Sa participation à l'élaboration de ce livre lui a permis de révéler un talent caché : la photographie. La plupart des photos sont de lui. Ce qui a été le plus difficile pour Laurent ce fut de consigner sur le papier ce qu'il avait toujours fait de façon intuitive.

Glyn Phillips

Pendant trente ans, Glyn a travaillé au Financial Times à Londres dans le département d'informatique. Il a pris sa retraite de son travail comme « chief technologist » en 2004. C'est lors d'un congé sabbatique qu'il a travaillé comme assistant pour « Susi Madron's Cycling for Softies ». Glyn et Jane avaient pris leurs quartiers à l'hôtel Diderot. C'est ainsi qu'une belle amitié est née entre eux, Chinon, l'hôtel et les gens qui s'en occupent.

Ses connaissances en informatique et traitement de textes ont permis à Glyn de commencer un nouveau métier - concepteur de livre. Sa maîtrise de l'ordinateur a permis à un simple texte et à des photos de devenir un livre.

Jane Phillips

Jane a commencé sa carrière dans l'enseignement et est devenue psychologue dans les milieux d'affaires. Elle a écrit un grand nombre d'articles sur l'intérêt de la psychologie appliquée dans les sphères des affaires et des établissements scolaires. Mais ce livre est absolument différent - Nous l'avons réalisé avec amour et il a été la source de plaisirs et d'amusement ! Jane a écrit le texte et a transcrit les recettes. C'est elle qui est responsable du projet.

Laurent Dutheil

After finishing secondary school, Laurent spent two years at catering college. Initially he wanted to be a chef, but changed his mind because he didn't want to be confined to the kitchen and have no contact with his customers. He worked at the Château d' Artigny and Château d' Esclimont and was for three years at the restaurant Charles Barrier in Tours. He spent two years at the Connaught Hotel in London and has also been a head waiter and restaurant manager in France and England. He came to the Hotel Diderot in 1998 and has been the jam maker there since 2001.

Involvement in the process of producing this book has uncovered a previously undiscovered talent – photography. Most of the photographs are his. The most difficult part for him has been to write down the detail of all those recipes which were residing so happily inside his head!

Glyn Phillips

For thirty years Glyn worked for the Financial Times in London in their computer services department. He retired from his job as Chief Technologist there in 2004. It was during a sabbatical from the FT that he worked as a holiday representative for Susi Madron's Cycling for Softies and he and Jane were based at the Hotel Diderot. Thus a beautiful friendship with Chinon, the hotel and its people was born.

Glyn's knowledge of the printing industry provided sufficient background for his new venture - book design. His is the computer wizardry which has turned raw text and photos into a book.

Jane Phillips

Jane's background was first in teaching and later in business psychology. She has written widely on many aspects of psychology, concentrating her efforts on how it can be used to good effect in school governance and management. Topics include pay and performance, childhood creativity, leadership, likeability and customer service. Her previous book, about headteacher recruitment and selection, lies within this discipline (published by Adamson Books: www.adamsonbooks.com).

But this book is different – it has been a labour of love and so much fun! Jane wrote the prose, transcribed the recipes and project managed the book production.